サンガ新書026

ブッダのユーモア活性術

役立つ初期仏教法話8

アルボムッレ・スマナサーラ
Alubomulle Sumanasara

ブッダのユーモア活性術　役立つ初期仏教法話8　……　目次

第8章　引き合うこころ

編集協力／川松佳緒里

I

気楽さと微笑《ほほえ》みのすすめ

序章

笑いはこころをきれいにする

仏教のユーモアは、未知なる世界

この本は、「笑顔で生きること」「ユーモアで笑って生活すること」「お釈迦さまのユーモア術ならなんでも解決できること」をテーマとしています。一見、そんなに奇抜なテーマとは感じないかもしれませんが、実はこれまでほとんど扱ったことがないテーマです。

というのも、世間には仏教およびお釈迦さまへの固定観念や思い込みがあるためです。「お釈迦さまの世界はすごく真剣で、すごくまじめで、いろいろな戒律をきびしく守るべきで、やってはいけないことがとてもいっぱいあって、なんでもかんでも禁止している……」、そんなイメージがあるのではないでしょうか。

たとえばNHKでは〝仏教の番組といえばこういう文句〟というお決まりのフレーズがあり、それを滔々《とうとう》と流します。〝南方仏教はきびしい戒律があり、たいへん閉鎖的な世界である〟というようなフレーズです。実際の仏教の世界は、そんな感じではありませんけどね。それでも、そういう決まった言い方というのは、一度定着してしまうと、なかなか変わりません。

そうすると、どうなるでしょう。世間に広く定着した固定観念や思い込みを変えるより、人は現実のほうを変えようと頑張ります。ですので、「仏教はきびしくて、辛くて、閉鎖的で、笑うなんてとんでもない」というイメージが定着してしまうと、本当の仏教のことは理解しないで、「仏教はそういうものにちがいない」と、勝手に仏教を変えようとしはじめます。

仏教はそういう固定観念や思い込みをユーモアの視線でみます。冷静に、ありのままにものごとをみるので、おかしなことがあると、それはすぐにわかってしまいます。「面白いなぁ」と、くすっと笑ってしまうのです。

固定観念はかなり危険

日本の社会では、タレントさんたちに、いろいろとキャラクターづけをしますね。この人はこうで、こんなときにこんなことをする人だ、というように。タレントさんは、世間の人の固定観念を逆手にとって、「自分はこういう人なんだ」と自分を演出します。それを見て皆、「この人はこういう人なんだ」と、タレントさんが持ってほしいと望むような固定観念を抱くようになるのです。

たとえば、あるタレントさんに、売れるための戦略として考えられたキャラクターをつけます。タレントさんはそのキャラクターにしたがって演技だとか表情だとか、パフォーマンスなどをします。そのとき、そのタレントさんにどんなに才能があっても、キャラクターに沿わない才能はかえってイメージダウンになることがあります。固定観念の枠から出ると、世間の人はそれを受け取りません。ですからタレントさんはキャラクター通りの、決まったパターンで頑張らなくてはいけません。それではどうしても無理がでますし、つかれてしまうし、いつも同じことをしているので、そのうち飽きられてしまい、たいていのタレントさんは長持ちせずに消えていきます。

仏教では、そんな固定観念は否定します。

仏教でいえば、「仏教はきびしいもの」という固定観念、キャラクターがつけられています。仮に誰かが、「仏教にはきびしい戒律があるのだから、皆、その戒律を守るために険しい表情で修行をしているはずだ」という固定観念を抱いて、お寺や、修行をしている場所に行ってみたとしましょう。実際の仏教は苦行には反対ですし、皆、微笑みを絶やさずに、静かに、掃除や瞑想など、日々の営みを遂行しています。険しい感じはまったくなくて、穏やかで、和《なご》やかな雰囲気にあふれています。実際に、行ってみればわかります。

しかし、実際の様子が自分の持っていた固定観念、イメージとはちがうとわかったところで「あ、ちがうんだ」と、すんなり自分の考えを訂正できるでしょうか？　人間は面白いことに、イメージ通りでなかったことに腹を立てます。自分の都合に合わないと、現実のほうがおかしいと思ってしまうのです。「なんだこれは。こうじゃないだろう。自分が思っている通りにきびしくやってほしいものだ」と思います。このように、固定観念でガチガチになってしまうと、かなり危険です。ありのままの事実は、とても受け入れられない状態ですから。

固定観念にこだわるのではなく、人は自分の固定観念に気づき、固定観念を持っている自分を面白がったほうがよいのです。仏教では、そう教えます。

間違っている仏教のキャラクター

これまで固定観念や思い込みによって、〝仏教とユーモアは相反するもの〟と、根拠もなく思われてきています。ですから、お釈迦さまは実際はユーモアがあったのだろうか、ということを誰も調べたことがありません。

辞書で「ユーモア」という言葉を調べると、「人のこころを和ませるようなおかしみ。上品で、笑いを誘うしゃれ」と書いてあります。お釈迦さまは、実際にそのようなユーモアを持っていらしたのでしょうか？
ローマ・カトリック教会がインターネットで公開している「カトリック・エンサイクロペディア（CATHOLIC ENCYCLOPEDIA）」には、キリスト教以外のいろいろな宗教についても、かなりのデータが載っています。当然「仏教（Buddhism）」という項目もありますが、私が読んだときには仏教に対してはずいぶん暗いイメージで書いてありました。

仏教は世界について「ペシミスティック（pessimistic／悲観的）である」と書いてあったのです。ペシミスティック、つまり「悲観主義」であるというわけです。「すべては苦であると説くのだから、悲観的に決まっている」と思っているのですね。

やはりインターネットで読んだ記事ですが、宗教をいろいろと研究したある人が、「仏教は、なんといっても世界でいちばん明るい宗教である」という結論に達してしまったそうです。〝ペシミスティックなことを説く、いわゆる「悲観主義的」な宗教なのに、実際の信者たちはかなり明るい〟という、一見すると矛盾した結果が出てしまったので、「仏教の人は悲観主義なのに明るくて、よくわからないなぁ」というふうにまとめられていました。

しかし、仏教から言わせると、「生きることは苦である」と説くことは、ペシミスティック（悲観主義）ではなくて、事実です。事実は事実ですから、仏教の人が明るいこととは、なんの矛盾もありません。逆に私たち仏教の人としては、ほかの宗教の方にたずねてみたいものです。「生きることは、なにか楽なところがあるものですか?」と。

「人生は楽である」という人は存在しない

仏教が「悲観主義」という間違ったキャラクターで定着してしまっている理由は、「生きることは苦である」ということが「事実である」と、皆が認めないことからはじまっています。皆、整然と論理的に考えずに、いろいろなことをまぜこぜにするので事実がわからなくなってしまうのです。

この世で、一点の曇りもなく「人生が楽しくて、楽しくてしょうがない」と思い続けられる人がいるでしょうか？　たとえば、お金がそんなにたくさんないわれわれ一般人は、すごいお金持ちの人のことを「あぁ、羨ましいなぁ」「楽しいだろうなぁ」と思うでしょう。しかし、当のお金持ちにとって、人生はそんなに楽なものではありません。お金があると、今度は失うことの心配がでてきます。出世をすれば、出る杭は打たれるで、失脚や更迭《こうてつ》などの恐れと向き合う必要がでてきます。

なんの権力もない一般人からすれば、皇室の人々やイギリスのバッキンガム宮殿の人々など、地位や権力のある人たちの毎日はひじょうに華やかです。その華やかな様子だけを見て「すごいなぁ」「羨ましいなぁ」と思うでしょう。しかし、実際、それらの人たちは世のため、人のためにたいへんな労力と時間を費やしています。人々の羨望の的になる立派な態度で生きていますが、その人生は本人にとっては、けっして楽なものではありません。

この世の誰一人として「人生は楽である」ということはないのです。ですから、なぜそれを否定する必要があるでしょうか？　そこでお釈迦さまは、「人生は苦である」と認めない人のことを、からかいます。認めない人は「無知だ」「自分が無知であることを表現している」「まったくあべこべのことを言っている」「いい加減に、ありのままのものごとを話しましょう」と、おっしゃいます。

「からかう」というと悪い感じを受けるかもしれませんが、けっしてバカにしているのではありません。微笑みとおかしみを誘う口調で、面白く表現しているのです。

お釈迦さまの人気の秘密はユーモア感覚

当時のインドで、お釈迦さまはかなりの人気者でした。「いま、ここにいらっしゃいますよ」という情報だけで、宗教に関係なく、皆が一斉にお釈迦さまのいるところへ向かいました。いまでいえば大スターのような、ものすごい人気です。なぜ、そんなに人気があったのでしょうか？

考えてみてください。お釈迦さまはたった四十五年の仕事で、世界をお変えになりました。お釈迦さまが、ものすごくきびしく、難しいことや、人に対して制限・戒律・規則ばかりを話していたら、どうでしょうか。相当、煙たがられていたのではないでしょうか。それでは大スターのような人気を得ることはできなかったでしょう。なぜ、皆が熱狂的に、お出でになる場所に追いかけてまでお話を聞いたかといえば、その秘密の一つが「軽さ」「気楽さ」なのです。つまり、お釈迦さまのユーモアです。

お釈迦さまに会った人は、お釈迦さまのお話を聞いて、そのお話しになる内容を理解して帰ります。お釈迦さまのお話しになる真理は、とても深くて難しい内容です。しかしそれでも、お釈迦さまの難しい真理を聞くために、お釈迦さまの信者以外の人までも追いかけて出向いたのです。なぜだと思いますか？　そして、どうしてそんなに簡単にお話の内容を理解できたのでしょうか。

それがユーモアのなせる業《わざ》です。お釈迦さまは、当時、おかしみ、からかいなどのニュアンスを含めて、かなり面白く語っていらっしゃいました。

当時のことをしるした経典を読めば、お釈迦さまのユーモアをかなりたくさんうかがい知ることができます。この本を出すにあたって、私はいろいろ、お釈迦さまのユーモアが盛り込まれた例を研究しました。なにしろ仏教やお釈迦さまにとって、「ユーモア」という切り口は初めての試みなので、参考にするものはありません。

ですが、あらためて調べてみますと、とてもたくさんあって驚きました。経典の具体例を挙げながら、「お釈迦さまのユーモア」をご紹介していくことにしましょう。

こころを明るく、清らかに

その前に、なぜ「お釈迦さまのユーモア」「仏教のユーモア」をテーマとして取りあげようと思ったかを、ご説明しましょう。

お釈迦さまは、「こころを明るく、清らかにしていなさい」とお説きになります。そのためには「笑う」ことは、とても役に立つことなのです。いまの時代は、ごくふつうに生活をしていても、時間に追われ、なんでも「お金、お金」と経済至上主義です。格差社会だ、勝ち組だ、負け組だと、ストレス要因だらけです。凶悪犯罪や事故など、危険もいっぱいあります。また、仕事で少しミスをしただけで、やれ責任だ、解雇だと、いろいろな心配がつきまといます。働き盛りの人が神経症やうつ病になることも、そんなにめずらしいことではありません。

人は、「ちょっと疲れている」くらいの状態でも、けっこう怒りっぽくなるものです。調子がよいときはこころに余裕があって、人に対して気を配ったり、親切にできる人でも、自分がなにか心配ごとで手いっぱいだと、ふだんはなんでもないことでも気になって、妬んだり、恨んだり、被害妄想を抱いたり、こころはたいへんなさわぎです。

現代は、ストレスフルな状況が当たり前のような世の中ですから、そんなときこそ私たち一人ひとりがこころを清らかにして、明るく生きるべきなのです。そのためにユーモアはとても役に立ちます。

笑いは相手のこころも明るくする

たとえば、老人介護の場面をみてみましょう。お年寄りで、脳にも少し衰えたところがあって、怒りっぽく、ひがみっぽくなってしまった人がいるとします。認識することや理解することは、とても大切なことですが、そうした機能が弱くなった人は怒りやすくなります。感情をすぐ出してしまうのです。しかし、ちょっとしたことでその人が怒ったからといって、まわりの人が「なんでそんな態度を！」などと思ってはうまくいきません。

介護されている人が、皆に支えられて生きているにもかかわらず、車イスの押され方一つで文句を言ったとき、あなたはどうしますか。あるいは、立たせてあげようとして、ちょっとうまくいかなかったときなどに、介護されている人がとても怒ったりしたら、どう思いますか？　面倒をみる側の人は「こっちは一生懸命やってるのになんだよ！ちょっとでも間違うとすごく怒るんだから」と反発することもあるでしょう。けれども、そのときこそ自分の修行です。ぜひとも頑張るべきときなのです。まずは自分が、そして相手が怒らないように、ちょっとなにか言って笑わせてみるのです。たいへんな局面でもこころを清らかに過ごすには、その方法しかないと思います。

相手が一方的に怒りだしたら、こちらはちょっと笑ったり、冗談を言ったりして、その場を明るくします。そうすると、相手のこころがきれいに、清らかになっていきます。自分のこころも汚れません。もちろん、時と場合にもよりますけどね。

智慧《ちえ》と理解と笑いはワンセット

この本と同じ、サンガ新書シリーズの『怒らないこと』でもお話ししましたが、よく笑うと、免疫作用も活性化されますし、顔色もよくなるし、人からも愛されて幸福になります。笑うことは大切なのです。

ですが、次の章で詳しくお話ししますが、仏教ではやたらと「笑いましょう」とは言いません。「なにが理由でもとにかく笑う」ということは、お釈迦さまは禁止なさいました。仏教のユーモアは、無知の笑いではなく、智慧《ちえ》と理解が基本にある楽しい笑いです。仏教では、なによりも「智慧」を重んじます。智慧と理解と笑いは、互いに高め合うことができる関係です。智慧が冴えれば、笑いの種がどんどん見つかります。笑いが身につけば、いつもこころに余裕をもって智慧が発揮できる状態になります。ですから仏教を実践する人は「なにを見ても微笑ましい」「どんなときも微笑める」状態になっていきます。

仏教では、いつも明るい、清らかなこころでいることをすすめます。この本では、仏教の笑いの特徴を解説しながら、お釈迦さまの独特なユーモアを、仏教の教えとともにご紹介していきます。後半部は、お釈迦さまがおっしゃったいろいろな例をピックアップしています。お釈迦さまが、実際に、相手から一方的に怒りをぶつけられたときの対処の仕方もご紹介しています。ぜひ皆さんの参考にしていただき、いつも智慧の笑いのある、こころ清らかな毎日に活かしていただければと思います。

第1章

こころを育てるユーモア術

世間のユーモアは無駄話

まずはじめに、仏教のユーモアとはどのようなものかをお話ししていこうと思います。仏教のユーモアは、いまの世間のユーモアとはちょっとちがいます。

皆さん、「お笑い」は好きですか？　テレビではいろいろなコンビやらタレントさんが、たくさん面白いことを言って笑わせますね。漫才や寄席も、巧みな話術で聞く人を笑わせます。ときには演芸場やホールなどへ足を運んで、お金を払って聞いたりもするでしょう。

プロの芸人さんたちは、とうぜん「お金を払って聞いてもよい」と思うほど面白い人たちです。聞いていて、とても面白く笑えます。しかし、笑えるからといっても、とくになにかの役には立ちません。それに、芸人さんのお笑いは「ネタ」ですから同じストーリーを繰り返し言うだけで、「この場ではこう言う」「次はこう言う」と、聞いている人もあらかじめ知っています。「そろそろあの場面がくるな」と予測できます。それがまた笑えます。しかし、役には立ちませんので、結局は無駄話にすぎません。

「笑い」を使うと楽しく学べる

しかし、お笑いがぜんぶ無駄話かというと、そうではありません。テレビなどでも、なかには「無駄話ではないお笑い」もあります。NHKの「ためしてガッテン」という番組をご存じですか？　これはお笑い番組ではありません。どちらかというと、社会の状況を分析したり、問題に対してなにか解説したりする、まじめな内容です。しかし、この番組には「笑い」があります。

科学の進歩に応じて、いろいろなことがわかってきたりします。化学物質が人体に与える影響など、一般の人が簡単には理解できないことがいろいろあります。それら、知っておきたい暮らしにまつわる知識を扱うのが「ためしてガッテン」です。この番組では、難しいテーマを扱う際に、かならずお笑いタレントを起用します。

勉強したい難しいテーマをそのまま言ってしまうと、面白くなくて誰も見ません。しかし、お笑いタレントさんたちがプレゼンテーションすると、見ている人は楽しみながら大事なポイントをほとんど覚えることができるのです。不思議なほど、楽しく学べます。これこそ、笑いの大いなる特権です。ものごとを理解するために、覚えておくためには、「楽しみ」という要素が必要です。

ほかにも、「爆笑問題」の二人が社会的な問題を扱っている番組がありますね。「爆笑問題」の二人は、自分たちもけっこう勉強したうえで臨んでいて、かなり派手に、笑わせながらポイントとなることを提示します。ですから、ふつうだったら腹が立ってしょうがない、とっても不公平な問題についてディスカッションするときでも、笑いを交えて意見を出し合えます。聞いている人たちも、怒りや憎しみではなく、にこにこと笑いながら問題を理解することができるのです。

「爆笑問題」のセンスは、「本当に笑いの才能がある」と言えます。ただ笑いを取るという目的だけでやっているのではありません。けっこうきびしく問題について研究して笑いにしているからです。

無駄話で幸福がなくなる

仏教では、無駄話は悪いもの、罪とされます。ですから、本当は「笑い」は無駄でだめなのですが、人間の役に立つように使えば、それは無駄話になりません。

なぜ無駄話が罪かというと、無駄話で人の幸福がなくなるからです。無駄話は、まず、時間をものすごく浪費してしまいます。それから、大事なことを考える能力が失われてしまいます。頭が悪くなります。かなりの損です。本当に頭がよい人は、どんなくだらないことからでも、そこからなにかを学ぶことができるでしょう。しかし、そんな頭のよい一握りの人を除いてはそれができませんから、たいていの人はやっぱり時間を有効に使った方がよいのです。

時間を有効に使わないことは罪なのです。時間の浪費で人は不幸になるし、良いことが一つもありません。そういうわけで仏教は無駄話を悪のセットの中に入れています。

聞きたくなる話術

皆、ちょっと時間に余裕があると無駄話をしたがりますが、これは危険です。無駄話で人が幸福になることはありません。時間に余裕があったら、なにか役に立つこと、なにか勉強になることをしたほうがよいと思います。無駄話は話すものではありません。かわりに人の役に立つこと、知識を深めること、性格を改良するために必要なことなどを話すようにと、一人ひとりが、自分を戒《いまし》めなくてはならないのです。

ところで、このようなちょっとキツい話を人に伝えるとき、どのような態度で話したらよいでしょうか。しかめっ面できびしい言葉で言うよりは、穏やかに笑いながら相手が聞きたくなる話術で、また簡単に覚えられるように工夫して話したほうがよいに決まっています。

怒ってものを話すより、笑って話すことで誰でも耳を傾けるものです。お釈迦さまの説かれた教えは、ほとんど明るいユーモアであふれているのです。

仏教のユーモアは三つの要素から

それでは、仏教のユーモアとはどういうものでしょうか。その特徴をいうと、

①品格があります。
②役に立ちます。
③教えがあります。

この三つを要素としたユーモアです。

仏教が語る内容は、世間一般の方の常識を超えた真理です。ふだんはまったく意識しないようなことを扱います。想像することも難しく、いくら頑張っても発見することができないような、かなりきびしい内容です。そんなきびしい内容を伝えるのですから、「伝え方」「語り方」は大事です。興味をもって聞いてもらい、理解してもらえるように

語らなければ意味がありません。
　ユーモアを交えたお釈迦さまの語り方は、人気を買うためのものではありません。大勢の人々を喜ばすためのものではありません。伝えたいことの内容が難しいため、優しく・柔らかく・順を追って・丁寧に言わないと、世間の人の理解が追いつけないことゆえの笑いなのです
　では、仏教のユーモアの三つの要素を、一つずつみていくことにしましょう。

仏教のユーモア要素　①品格

　仏教では、世間の品格のない笑いは無駄話とします。そして、「品格のある笑いのほうが、より才能が必要とされる」という見方をします。

　お笑いタレントさんのなかには、品格のない言葉をつかって笑いを取る人もいますね。また、常識はずれのことをわざと言って笑わせる人もいます。

「下ネタ」という単語があるようですが、ちょっと品格に欠けている、ふつうの人には

ちょっと言い難い、言うとかなり立場が悪くなる、そんなことを、あえて堂々と言うことで笑いを取る人がいます。またアメリカ映画は、セリフに盛り込まれているユーモアに、けっこう汚い単語をつかっています。日本語に訳すときにはそのまま訳さず、適切な表現に直されていますが、オリジナルの英語の会話を聞いていると、すごく汚い単語ばっかりです。

そのようなことで笑わせるというのは、世間でよく使われる手法で、一種の才能と言えなくはないかもしれません。ですが、無駄話は無駄話です。聞いている人は常識はずれであることについて笑うだけです。その笑いには、品格がありません。そういう笑いは、仏教の笑いにはありません。

逆に、仏教の笑いは、聞いていても、身につけても、どこか人格が向上するようなウィットに富んだものです。頭を上手に使って、上品な微笑みを促します。また、深刻な問題を扱うときでも穏やかに、冷静さを保って明るく問題解決へ向かうことのできる品格を持ち合わせています。

仏教のユーモア要素　②役に立つ

先ほど、テレビ番組を例に、「笑い」を取り入れると難しいことも学びやすくなることについてお話ししました。仏教のユーモアとはまさにそのような、役に立つ笑いです。そして、「役に立つかどうか」というのは、学びやすさのための大切なポイントです。

プロの知識世界、たとえば弁護士を例にとりましょう。弁護士になろうと思っている人の大半は、学生時代、資格を取るための勉強は嫌で嫌で、しかし司法試験に合格しなければ弁護士になれませんから、仕方なく頑張ります。その人が、なんとか試験に合格して晴れて弁護士になったら、どうなるでしょうか？

弁護士になったら、とうぜん、いろいろなケースが持ちかけられます。その際、たくさんのことを調べなくてはなりません。法律を調べ、過去のデータ・前例を調べ、それなりに勉強して弁護しなくてはいけません。しかし、このときの勉強は、司法試験に対するときとちがって、まったく嫌ではありません。なんのことなく、熱心に研究します。

きちんとプロになったら、プロは皆、真剣に勉強するのです。

なぜ、このようなちがいがあるのでしょうか？　キーワードは、「役に立つ」ということです。

医者にしても、大学では嫌々、勉強をしたかもしれませんが、自分がプロになって、一人前になって、責任をもつようになってくると、とことん研究したり調べたり、自ら楽しく進んで追求します。

ある大学教授が、「自分は、ほかのことはなにもしないで、自分の分野の研究ばっかりしています」と言うのを聞いたことがあります。「そんな毎日は面白いですか？」とたずねられたとき、「勉強が嫌だったのは学生のときだけです。研究者という立場になったら、これほど楽しいことはないです」という答えが返ってきました。その気持ちは、とてもよくわかります。

「役に立つ」ということがわかったら、誰でも勉強するのです。子どもたちが数学を嫌う理由のひとつは、数学を学んでもそれが役に立つかどうか、さっぱりわからないからです。実際、数学が身についたらどうなるでしょう。役に立つ場合もあるし、役に立たない場合もありますね。

そこで、たとえば半年に一回ぐらい、表彰される数学のテストみたいなものがあると、子どもたちのやる気はちがってきます。その地方ごとにどこか一校だけ、いちばん成績優秀な学校はメダルがもらえるなどという企画をすると、団結して頑張ろうという雰囲気が生まれます。「今度はうちの学校がメダルを取りましょう。皆さん、ぜひ頑張ってください」と言われれば、はりきるのです。数学自体は自分の人生の役に立つのかどうかわかりませんが、試合でメダルを取りたいと思います。

「役に立つ」ことなら頑張れる

このように強引にでも「なにかの役に立つ」という大義名分を設定しないと、子どもたちは勉強してくれません。それは「怠け者」というわけではありません。脳が、そもそもそういうふうにできているのです。役に立たないことには、ぜんぜん、やる気がでないのです。または「役に立つ」ことをする場合は「楽しい」のです。

弁護士は、優れた弁護をすれば「評価」という喜びが得られます。なりたくてなった職業で、仕事がうまくいくことは実に楽しいでしょう。ですから「この仕事にベストを尽くして成功させよう」と、目的がはっきりしていれば、調べものなども熱心に頑張れます。医者も同じです。

お釈迦さまのユーモアは、「役に立つ」のです。人生を生きやすくし、成功への道へと導くヒントがいっぱいの、仏教の教えをわかりやすく明るく教えてくれます。この世の真理を、微笑みとともにこころから納得できます。また、お釈迦さまのユーモアにある考え方・ものごとのとらえ方は、こころを朗らかに過ごすことの素晴らしさを教えてくれます。ユーモア自体も、ユーモアによって仏教の真理を理解することも、とにかく、自分のためになります。

脳がはたらく二つの条件

「役に立つ」ことをしていると、脳はとてもよくはたらきますが、もう一つ、脳がはたらく条件があります。それは「楽しさ」です。

たとえば、コレクターは、なんの役にも立たないガラクタを集めているでしょう。集めたからといって、誰の、なんの役にも立ちません。しかし、とにかく楽しいのです。

以前、テレビで見たことがあります。いたるところのお箸の袋を集めている人がいました。その人は、どこかのお店の人が自分でオリジナルのデザインをしたような箸袋までも集めようと、日本中どこへでも探しに出かけます。集めたものは「これは北海道のもの」「これは関西のもの」などとエリア別に分け、さらに「これは関西のラーメン屋さん」「これは関西の料亭」というふうに分類していました。番組でも、一生懸命にいろいろと説明していました。

お箸の袋を集めたところで、なんの役にも立ちません。聞いているほうは、いささか辟易《へきえき》するぐらいなのですが、本人にとっては楽しくてたまらないのです。なぜそんなことをするのでしょうか。その引き金になるのは「楽しさ」です。

「楽しさ」と「役に立つ」こと。このどちらかがあれば脳は動きます。これを仏教では、正しく整理整頓して「役に立つことで楽しみましょう」とすすめます。

「バカバカしいことで楽しむのではなく、役に立つことで楽しんでください」という仏教は、なにかきびしいことを言っているでしょうか。間違っているでしょうか。

楽しいからといって、麻薬をやってよいわけがありません。楽しいからといって、アルコール依存やパチンコ依存になってよいわけはないのです。楽しいことをするといっても、誰にも迷惑をかけない、自分の人格が向上する、まわりの役に立つ方法で楽しみを見つけましょうと、仏教ではすすめます。役にも立って楽しみもあると、脳は喜んではたらきます。

仏教のユーモア要素　③教えがある

仏教にはユーモアやからかいがたくさんありますが、ユーモアやからかい、笑いだけで終わっていないということを覚えておいてください。ユーモアのあとに、肝心な教えがかならずセットされています。お釈迦さまのユーモアは、現代のプロのお笑い芸人とちがって、笑いをねらってはいません。ねらいは「笑い」ではなく、「人を育てる」ことにあります。

学校では、子どもたちにいろいろなことを教えますね。そのとき、教える内容が難しければ難しいほど、子どもたちは聞きたくはないし、勉強したくないと思います。聞いただけではパッとわからない、ちょっと難しいことを教えようとしたときに、子どもたちが「やりたくないよ」と言ったからといって、教える側が「きみたち勉強したくないの？　じゃ、やめようか」では、話になりません。子どもたちは勉強をしなくてはいけません。

ですから、教える側としては、勉強せざるを得ない、学ばなくてはいけない環境をつくらなくてはいけません。それで、あらゆる工夫をします。英語でいう「ティーチング・メソッド（teaching method）」、つまり「教える方法論」を駆使します。一般人には難しい仏教の真理を教えるお釈迦さまのティーチング・メソッドは、それは素晴らしいものでした。

お釈迦さまは、自ら「自分は世界一、最高な師匠である」とおっしゃっています。それは本当にそのとおりで、お釈迦さまの教える能力はものすごいのです。ユーモアを駆使したお釈迦さまの教え方には、教育学的に学べるところがたくさんあります。

お釈迦さまの「教える」能力

なぜ、仏教が教育学的にすごいかというと、それはお釈迦さまの教える能力のすごさに由来します。お釈迦さまの教える能力のレベルは、「神通《じんつう》」だったのです。

「神通」とはなにか、ご存じですか？　世の中に、いろいろな「奇跡」というものがあります。とてもじゃないけれど、ふつうの人にはできないようなことをやってのけたりすると「奇跡的だ」「神業だ」などと言ったりします。仏教では「奇跡」とは言いません。仏教の定義では、「奇跡」は非科学的な単語です。「奇跡」は因果法則に逆らっています。

その奇跡に対して、仏教では神業的なことを「神通」と言います。「神通」は、科学的です。自分のこころの能力を向上させて、一般人にできないことをこころのパワーでやってのけることを言います。

仏教には、こころを鍛えて「神通」を身につける方法論があります。この「神通」には、皆が驚きます。そして、お釈迦さまにはこの「神通」がものすごくたくさん、誰よりもありました。たとえば、瞬時に、いまいるところから別なところに現れたり、人の思考や、本人さえも気づいていない性格を見出したり、際限なくご自分の過去生をみたり、人々の輪廻転生を明確に知ったり、などです。

あるとき、お釈迦さまのある「神通」を誰かがものすごく称賛すると、お釈迦さまは

「そんなことではなくて、すべての生命が腰を抜かすほど、私にはすごい神通があるのだよ」とおっしゃいました。それが「教えること」だとおっしゃったのです。皆が腰を抜かすほど驚くような、そして皆が驚く「神通」よりもすごいもの、それを「アーデーサナー　パーティハーリヤ（説示神通 ādesanā-pāṭihāriya）」、「指導の神通」という言葉で表現していらっしゃいます。

「人を導く」ことは、並大抵のことではありません。それをお釈迦さまは、いとも簡単にやってみせるのです。当時、みんながタレントを追いかけるようにお釈迦さまを追いかけた人気ぶりが、その証拠です。

お釈迦さまの説法は、「品格がある」「役に立つ」「教えがある」という三つの条件が、全部ハイレベルにそろったユーモアです。つまり、人格が向上し、役に立って、楽しくなにかを教えています。

こころの楽しみ、喜悦感が人を育てる

仏教にとっての笑いは、学びやすくするためのものであると同時に、脳のメカニズム上からも重要視されます。仏教では、学ぶことと同時に、楽しみ・喜び・充実感をとても大事に考えます。それはなぜかというと、実は、楽しみ・喜び・充実感がないと、脳は開発されないからです。

仏教の教えは「この世は苦しい、苦しい」というものですが、これは実は、こころの楽しみを探しているとも言えます。なぜ「瞑想」を推薦しているかというと、日常で得る楽しみとは比較にならない、ケタちがいの楽しみ・喜悦感が、瞑想によって、こころのなかに生まれるからです。つまり、瞑想によって能力が飛躍的に向上するのです。

〝瞑想とは、こころのなかにものすごい楽しみ・喜悦感をもたらすもの〟、仏教はそう教えています。仏教ははじめから苦行には反対です。「こんなつらいこともした」「あんなすごいことも耐えた」などと、苦行をする人に対して「かっこつけるな」という態度

をとります。なによりも「あなたは楽しんでいますか？」ということを問題にします。

この本の後半部ではお釈迦さまのユーモアを、具体的なエピソードでご紹介しますが、まずここでも、仏教の教えの根底となる「こころの贅沢」というテーマを、具体的なエピソードから説明することにしましょう。

こころのなかの楽しみ・喜悦感を仏教がいかに大事に考えているのか、お釈迦さま流のユーモアを交えて語られたエピソードがあります。

「世界一の贅沢者」

これは、お釈迦さまと、お釈迦さまのお気に入り、と言ったら失礼ですが、仲良しだったある若者とのやり取りです。

その若者は、お釈迦さまよりかなり年下でした。私が推測するには、おそらく二十歳ぐらい年下ではないかと思います。なぜかというと、この子が赤ちゃんのときにお釈迦さまが自らの手で抱っこされたことがあるからです。お釈迦さまは自分の子どもにもそうしたことがなく、とてもめずらしいことでした。ですから、お釈迦さまに感謝する気持ちとして、若者には「ハッタカ・アーラワカ［Hatthaka Āḷavaka］」という、家の名前に「ハッタ［hattha］」という「手」を表す形容詞を盛り込んだ名がつけられました。

ハッタカ・アーラワカはとても性格の良い子で、大きくなるとお釈迦さまとずいぶん仲良くしています。これからご紹介するのは、大きくなったハッタカ・アーラワカがお釈迦さまに会いに行った、ある冬の日のエピソードです。

ハッタカ・アーラワカがお釈迦さまに会いに行くと、お釈迦さまは夜を過ごすところがなく、樹の下で枯葉を敷いて、座っておられました。ものすごく寒い冬です。寒いのに、毛布など、身体を守るものなどもなにも持っていません。ハッタカ・アーラワカはお釈迦さまのところへ行って、「お釈迦さま、いかがでしょうか？」とたずねました。

ハッタカ・アーラワカのこの挨拶は、直訳すると「楽に過ごされていましたか？」となります。そしてこの「楽に過ごされていましたか？」の単語を入れ替えると、「贅沢に過ごされていたのでしょうか?」という意味になります。

そこで、お釈迦さまは質問の言葉を入れ替えてお答えになりました。

「あのね、贅沢に生活している人といえば、それは私のことですよ。世の中でいったいほかに誰が贅沢をしていますか?」

とおっしゃったのです。

こころの贅沢を自慢するお釈迦さま

ふつうの人の感覚では、まったくわからないでしょう。夜を過ごす家もなく、真冬に樹の下で、寒いのに毛布類もなく、ブルブルふるえているときの会話です。すぐに肺炎になったり、死にそうになるかもしれません。私たちでいえば、自分の不幸を嘆き悲しむ状況です。それなのに、お釈迦さまは「世の中で贅沢をしているといえば、それは私のことですよ」と自慢なさるのです。

お釈迦さまは、さらにハッタカ・アーラワカに、その言葉の意味をわかりやすく説明しています。お釈迦さまが、ハッタカ・アーラワカに「きみたちは王家の人々や億万長者たちが、しっかりと作った豪邸に住んで、寒い風が入らないしっかり閉まる窓を閉め、厚いふとんを敷いて、高級なヤギの毛の毛布をかぶって、大きな枕で寝ていたら、それを贅沢だと思うでしょう?」と問いかけました。

インドには、いまはもうありませんが、有名なヤギの毛がありました。ものすごく柔らかくて、心地よい、そういうめずしいヤギの毛で作った毛布のことをお釈迦さまは持ち出して質問なさったのです。

ハッタカ・アーラワカは、お釈迦さまの問いかけに

「まぁ、世間ではそれを贅沢と言います」

と答えました。お釈迦さまが続けます。

「でも、世間でいう贅沢をしているお金持ちの人々は、欲が出てきて、ずっと悩んだり苦しんだりしています。怒り・憎しみ・嫉妬・競争心などが出てきて、ずっと悩んでいます。無知で、いろいろな愚かなことをして、とても悩むことになります。精神的な悩

みのどん底に陥っている人が、フワフワしている布団の上にいるからといって、贅沢だと思いますか?」と、おっしゃるのです。

つまり、「精神的な悩みや気苦労で寝られなくて困っている人はいくらでもいるでしょう? 私には、そういう精神的な悩みは一欠片《ひとかけら》もないのだよ。だから最高の贅沢を味わっているのだよ」ということなのです。*

喜べば喜ぶほど脳は成長する

このエピソードのように、仏教は「楽しく、気楽に生きること」をかなり強調します。先ほどもお話ししましたが、脳は、喜びがないと成長しません。不思議なもので、喜び・楽しみ・充実感など、とにかく「やったぞ!」という気分がないと、脳は成長しないのです。智慧をこの世の最高の宝とする仏教では、脳が成長する「楽しさ・気楽さ」

---

*増支部三集34（Aṅguttara-nikāya, III. 34）

を大切にします。

世間一般の世界は、教育の世界でも、スポーツの世界でも、喜びどころではなくて地獄をつくっています。

スポーツ選手の場合なら、コーチに殴られたり、怒鳴られたり、いじめられたり、もうきりがありません。能力が向上するどころか減退する方法を、指導者はさぞかしよくわかっているのでしょう。選手には、一欠片も楽しみがありません。そのうえ、責任感を植えつけたり、緊張感を与えたり、プレッシャーやストレスを与え放題です。能力が減退するものはなんでも提供します。選手が、ちょっと楽しんだり、喜んだり、充実感を味わったりすると、「それはとんでもない」とその喜びを取り上げてしまいます。

叱咤《しった》されて育つ時代ではない

ときどき、若手芸人などが舞台に立っているとき、おじいさんたちが笑うどころか怒鳴ったりします。演芸場などで見ていると、実際にときどきあります。「面白くない」

とか「間違ったな」と、きびしく指摘します。そうすると、若手芸人の人たちはどんな気分になるでしょうか？　けっこうキツいのです。精神的に、かなり地獄です。

ちょっと批判されただけでもすごくキツく感じてしまうのは、いまの時代、家族関係が崩れていることも原因です。

若手芸人の真ん前におじいさんたちが並んで座って「面白くなかった」とか「あそこは間違ったな」と言ったとします。いまの時代の人は、そのような指摘を、たとえば自分の父親やおじいさんに言われたときのように感じて、「あぁ、そうでしたか。すみません」と謙虚に受けとめるでしょうか。身内から言われたように感じるなら、自分を育てるために言ってくれたと受けとめていますから、「よく見ていてくれた」「ちゃんと聞いてくれて、いけないところをきちんとチェックしてくれた」と、むしろありがたく思うでしょう。「さらに頑張ってみます」という気分になります。それなら、怒鳴られてもまったく大丈夫なのです。

しかし、現代ではそういう気分にはなれません。自分の父親ともそういう真剣な交流をしていないのですから、社会に出てから謙虚さはもてないのです。

ですから、苦言を言われるとつらく感じてしまうと思います。先ほどのスポーツの例のように、もともときびしい言い方では人は育ちにくいものですが、いまの時代は、なおさらです。そういう意味でも人を育てる「笑い」が、ますます求められていると言えるでしょう。必要なのは、きびしさよりも明るい「笑い」です。

仏教は、面白くてたまらない

世の中は、自分でわざと苦しみの世界をつくっておいて、仏教の悪口を言います。しかし、本来、仏教自体はすごく楽しいのです。

なぜかというと、「こころに面白いと感じることがあればあるほど、こころが機能する」というのが、お釈迦さまの考え方だからです。

「なんとなく面白い」では足りません。「面白くてたまらない」ところまでいかなければ、脳は成長しません。「面白くてたまらない」という境地になれば、なんのストレスもなく脳が開発されます。智慧が現れます。これが仏教ですから、つまり仏教とは「面白くてたまらない」ものなのです。

「笑い」は目的ではない

お釈迦さまの説法は、「ただ理屈を喋《しゃべ》っているだけ」「論争好きなだけ」などという批判をたびたび受けました。お釈迦さまがいろいろな人と論争したことは事実で、経典のほとんどはそういう調子です。それを盾に、「仏教は論理ばっかりで、論理上手だと自慢したがっている」「仏教は口達者で人と論争することを好んでいる」などと言う人がいます。

これに対してお釈迦さまは「それは仏教に対する根拠のない非難で、侮辱《ぶじょく》・冒涜《ぼうとく》だよ」と、ぴしゃりとおっしゃいます。

ふだんは誰かの発言には興味を示さないお釈迦さまですが、そういう話を聞いたときだけは、たちまち言った人のところに向かわれます。

ある人がお釈迦さまのことを、「あれは理屈をただ喋っているんだよ」と言ったとします。すると、すぐお釈迦さまはその人のところへ行って、「あなたは、私がただの理屈で喋っていると言ったのですか？」と、はっきりさせます。そして、その人が自分の言ったことを認めると、「なぜですか？」と問います。「私は理屈で喋っているわけではないのだよ」と堂々と反論し、戒めます。お釈迦さまの説法に対して「理屈を喋っている」と言うのは、仏教に対する侮辱であると、ひじょうにきびしい態度をとります。

「笑いをねらって喋っている」というのも、同じことです。仏教に対する根拠のない侮辱です。

「あなたは如来を侮辱しています。如来を侮辱すると、次の人生は決まっています」

「真理を語る人を侮辱するということは、大勢の人々の善行為の道を閉ざすことです」

と、はっきりおっしゃいます。

「よく覚えておきなさい」と言いおいて、「人は、持った荷物はかならず下ろさなくてはいけません。そのように真理を語る人を侮辱するあなた方は、死んだらかならず不幸の境地に陥ります。それを誰にも、どうすることもできません」とまでおっしゃるのです。

これはもちろん、侮辱されて怒っているのではありません。仏教を侮辱する言葉を吐くこと自体が、不幸の境地に陥る行為であり、まったく自分のためになりませんよ、と教えているのです。

ですから、覚えておいてください。仏教は決して「笑い」をねらっているのではありません。「笑い」はありますが、それはそれ自体が目的やねらいなのではありません。「人を育てる」ことを目的とした笑いなのです。

歌は泣き声、踊りは狂気

お釈迦さまは「笑い」に対してなんとおっしゃっているのでしょうか。お釈迦さまがどのように語ったのか、経典には次のように書かれています。

〝比丘《びく》たちよ、聖なる戒めにおいては（仏陀の教えにおいては）、歌は泣き声のようなもの、踊りは狂気のようなもの、長い時間、音をたて歯を見せて笑うことは幼子になったようなものです。したがって、君たちは歌をやめなさい、踊りをやめなさい、真理を理解することで起こる微笑みだけで十分です〟

[Ruṇṇam idaṃ, bhikkhave, ariyassa vinaye yadidaṃ gītaṃ. Ummattakam idaṃ, bhikkhave, ariyassa vinaye yadidaṃ naccaṃ. Komārakam idaṃ, bhikkhave, ariyassa vinaye yadidaṃ ativelaṃ dantavidaṃsakaṃ hasitaṃ. Tasmāt iha, bhikkhave, setughāto gīte, setughāto nacce, alaṃ vo dhammapamoditānaṃ sitaṃ sitamattāyā ti.]*

「歌は泣き声のようなもの」の〝歌〟とは、〝詩〟との言葉のあやもあるのですが、とにかく「歌っている人は泣いている」と言っています。歌は、実際、泣き声でしょう？「彼は消えました。二度と会うことは叶いません」とか、「酒が〜」とか、「人生が〜」とか、そんな泣いている歌ばっかりです。プロの方々は歌いながら、パフォーマンスで涙をポロポロと流して歌う場合もあります。歌の世界につられて観客が泣くこともあります。

踊りは、いまはいろいろなジャンルのものがありますね。実際、見ているとどうでしょう。「踊り狂う」という表現がありますが、まさにそんな感じだったりします。冷静に観察すると、踊りは「狂気」という言葉が、けっこう合います。

また、長い時間、音をたて歯を見せて笑うことは、「幼稚だ」と言っています。子どもみたいに笑うのは情けないですよ、という意味です。

「したがって、君たちは歌をやめなさい、踊りをやめなさい、真理を理解することで起こる微笑みだけで十分です」と続きます。ですが、一つ注意していただきたいのです。お釈迦さまは「笑うことをやめなさい」とは、おっしゃっていませんね。

＊増支部三集103（Aṅguttara-nikāya, III. 103）

笑いは自然現象

お釈迦さまは、笑うことを否定せず「笑うにも、長い時間はよくない」とおっしゃいます。「ちょっと笑うだけでよろしい」ということです。それには論理的な理由があります。

我々は、笑うことはやめられないのです。実際、なにか面白いことがあったら、「笑わないでいよう」と思ってもできないでしょう。「踊らないことにする」、これはできます。「歌わないことにする」、これもできます。しかし、「笑う」のはくしゃみと同じで自然に起こります。やめようと思っても、どうにもなりません。いきなり、どうしても笑ってしまいます。

ですから、お釈迦さまは、笑いを「やめなさい」とはおっしゃいません。人体のメカニズムに即しています。いかにお釈迦さまの智慧が精密なのかという証拠です。

「ちょこっと笑うのはよいですよ」と、お釈迦さまはすすめます。たとえば数学で少々難しい問題が解けたら、「できたぞ」と笑ってしまうでしょう？　なにかを理解したときに品格よく、「あっ、わかった」と思わず笑顔になる、それぐらいの笑いは「楽しんでよろしい」とおっしゃるのです。

微笑みのたえない人になる

「理解したときの微笑みで十分」とお釈迦さまがおっしゃるとおり、実際、お釈迦さまの教えがわかったら、人は微笑みのたえない人になります。どういうことかというと、悩んだり、苦しんだり、怒ったり、攻撃したくなったり、落ち込んだりするべき理由が、仏教の人には存在しないのです。

お釈迦さまの話がきちんとわかれば、「なんのために怒るのか？」「なんのために悩んでいるのか？」、不思議になります。

たとえば、ある男の人が私と喧嘩《けんか》をして家に帰ったとしましょう。皆さんは、そういう場合、どのような気分になりますか？　落ち込んだり、悩んだりしそうですね。

しかし、私は、そのような状況のときに落ち込んだり悩んだりする気持はわかりません。喧嘩して相手が帰るくらいのことは、世の中でごくふつうの、当たり前のことでしょう。どうしてそれくらいのことで悩むのでしょうか。ごくふつうで当たり前のことで悩むのなら、きょうのお天気のことで悩むのと同じです。「きょう雨が降らなくて困ったなぁ」と落ち込めばいいでしょう、あるいは「きょう暖かくてどうしよう」と落ち込めばいいでしょう。そういうことであなたは落ち込むでしょうか？　「きょう晴れてしまって、本当に困った」と悩むでしょうか？　喧嘩だって同じです。

さらに言えば、人生で起こることはなんでも当たり前なのです。不思議なことは一つも起こりません。それなのに、なぜ悩んだり、怒ったりするのでしょうか？　たとえば、旦那さんがとても遅い時間に家に帰ると、奥さんが怒ったり、怒鳴ったりするということは、世間ではよくありますね。怒鳴られると旦那さんも言い返したり、奥さんも怒ったりします。

仏教を知っている人からみると、そういう喧嘩は「なんの意味があるの？」と不思議に思うだけで、さっぱり理解できません。「なにを意味のないことをお互い言い合っているのですか?」ということです。

最初にお話ししたように、世間の仏教の固定観念は、本来の仏教の性質とはけっこう異なっています。お釈迦さまのユーモアで彩られた仏教の明るく朗らかな世界を、次の章でもう少し具体的に、丁寧に解説したいと思います。

第2章

無常を知って、気楽な、笑顔の人になる

明るさ、気楽さの秘訣

お釈迦さまのユーモアは、仏教の明るさ、気楽さについて、一通り理解してから接したほうがより納得できると思います。

序章で「仏教の人はどの宗教の人よりも明るい」というお話をしました。そして、第一章の最後にも、「お釈迦さまの教えがわかれば、微笑みのたえない人になる」とお話ししました。それはなぜでしょうか。ポイントは、「一切は無常である」というお釈迦さまが発見された真理にあります。

「無常」をお釈迦さまは「聖なる真理［ariya sacca（アリヤ・サッチャ）］」と、おっしゃいました。学者が発見するような世間一般の知識・概念とは区別する意味で、

「ariya」という「超越した・一般とはケタちがいの・品格が高い」という単語をつけて説かれたのです。つまり、「一切を貫く客観的な事実、世間の次元を越えた真理」ということです。

無常とは、「一切はたえず変化している。瞬間、瞬間、あるとも、ないとも言えない、生滅《しょうめつ》の繰り返しである」という真理です。花が散ってはかなむような、感傷的な気持ちは仏教でいう無常ではありません。

「一切が無常である」ということを理解した人にとって、悩み、苦しみ、怒り、攻撃、落ち込みなどは存在する理由がありません。「無常を知っている人は、最高の幸福に達することができる」とお釈迦さまがおっしゃるほど、理解するだけでこころの苦しみが一切なくなる、すごい真理なのです。

無常を知ると、前向きに生きられる

たとえば、年老いて最期をむかえたときも、無常を知っている人は「あぁ、悲しい」

とは思いません。「あぁ、そろそろ時期がきました」と思います。自分のいのちも無常であると知っていますから、そこで執着が起きないのです。執着がなければ、その事実を淡々と受け入れることができます。そして、いまできること、やるべきことに集中します。

本当にお釈迦さまのお話を理解している人なら、自分がガンだとわかったとしても「あぁ、ガンですか。なるほど、先生、どういうガンですか?」「なんとか手の打ちようはありますか?」と、実際的な対応をとります。執着がないので、いまやるべきことに集中できるのです。執着があると「いったい、なんだって自分がガンなんかに!」「うそに決まってる!」などと嘆き悲しんだり、怒ったりしてしまいます。余計な感情がはたらいてしまいます。ただ事実を淡々と受け入れ、いまに集中すれば、解決策も速やかに見つかるものです。

もしお医者さんが「残念ながら手の打ちようがありません」と言ったとしても、「あぁ、そうですか。はい、わかりました」と、ごくふつうのことだと受けとめて落ち着いています。そして、「そろそろ死ぬのだから、では、準備しよう」と、気分よく、微笑みをたやすことなく、対処していきます。

すべてのことが微笑みになる

「一切は無常である」と知っていると、いつでもこころは明るくいられます。良いものも悪いものも、あらゆることは一時的で、瞬間に変わる・消えると知っていると、よいことがいろいろあります。いつも微笑みのこころで一切のものごとをみていられます。

末期のガンだと言われたとしても、自分がいつかかならず死ぬことは、最初から決まっています。死なないということはあり得ません。ガンであろうがなかろうが、オリンピックでメダルを取っていようがいなかろうが、いつかは死にます。ですから「理由がなく死ぬよりは、理由を知って死ぬ方がましだ」というふうに肯定的に考えることができます。

あるいは日常のできごとでも同じです。たとえば、ある夫婦がいるとします。奥さんは旦那さんと喧嘩して、実家に戻ってしまったとしましょう。それでも無常を知っている旦那さんであれば、「そのうち帰ってくるでしょう」「ずっとあっちにいるわけにはいかないだろう」と知っています。奥さんのプライドが高くてなかなか帰ってこない場合は、「まぁ、いいや。私が迎えに行こう」と思って、それを実行するだけです。ごく当たり前に「家に帰る準備はできていますか?」と訪ねていきます。仮に奥さんが「いいえ、まだ帰りません」と言ったら、「あぁ、そうですか。では、また来ます」と言って戻ります。「平日は仕事がありますから、土曜日にまた来ます。では、土曜日まで頑張ってくださいね」などと言い残して帰ります。奥さんがいつまでも同じでいることはないと知っていますから、旦那さんは淡々としています。気楽なものです。

そういう調子でいると夫婦喧嘩もなにもなく、ものすごく明るく楽しく生きていられます。

「微笑み」と「明るさ」だけがたくさん残る

「たいへんだ！　たいへんだ！　どうしてこんなことが起こったのか！……そんなふうに言う人は、いったいなにを考えているのでしょう？　なにが起きてもすぐに消えるというのに」──お釈迦さまの教えを理解すると、そんなふうに思います。この世はなんでも無常ですから、すごく気楽に生きていられます。

また逆に「私はなんて幸せでしょうか！」「なんてツイているのでしょうか！」などと喜んで舞い上がることも理屈に合わない、おかしなことだと仏教では教えます。すべては無常ですから、喜んで舞い上がってもそれは続きません。いつか落ち込みます。

ですから、なにか悪いことが起こっても、また良いことが起こっても平静でいられるのです。怒りも憎しみも悲しみも、ありません。舞い上がる喜びもありません。すると、「微笑み」だけがたくさん残ります。「明るさ」だけが残ります。

「無常」と対極の「永遠」

〝世の中は喜ぶべきほどのことではないし、悲しむべきほどのことでもない〟、このことがこころから理解できると、悩んだり落ち込んだりする理由がなくなって、人生は楽しくなります。お釈迦さまは、それを教えていらっしゃるのです。面白いことに、それは事実です。「世の中が無常」ということは、科学者にも誰にも発見できなかったすごい真理なのです。お釈迦さまはそれを発見しました。

ほとんどの宗教家は、まるでちんぷんかんぷんなことを言っています。「永遠」などという言葉をつかっているのを聞くと、私は鳥肌が立ちます。「もし、永遠だったら最悪でしょう」「永遠だったら、とんでもない」と思います。それなのに、いかにも良さそうな意味で「永遠」という言葉をつかったりします。

皆さん、地獄に落ちることは多少なりとも怖いでしょう？　仏教でも地獄のことをよく喋っています。しかし、地獄に落ちるのをいちばん怖がるのは他宗教の方々です。それは「永遠」という観念があるからです。その人たちには地獄も、もちろん永遠ですから、とても怖いのです。

すごく頭の悪い神が、人間がちょっと失敗しただけで永遠に地獄に落とすのです。ふつう、罰といえば罪に適した分だけですが、その神様は相当に頭が悪くて、罪に見合った罰ではありません。道路で若者が口論になって、短気な一人が相手を殴って警察沙汰になっても「では、殴ったあなたは死刑です」とは、なりませんよね？　相手に怪我でもさせていたら治療費を払って謝るくらいで示談とします。刑務所に入ったりはしないでしょう。ところが、神はそうではありません。

頭の悪い神は「自分がいることさえも人間にわかってもらっていないのに、さらに信じてもらえなかった！」と怒って、永遠の地獄に落とします。たいへんです。頭が悪いと、どうしようもありません。

「じゃあ地獄に決めるよ」の気楽さ

「無常」という真理を知る仏教の立場からすると、とにかく「永遠」などというのはとんでもない話で、あり得ません。私の故郷、仏教の国スリランカでは、いろいろな冗談話があります。この冗談話は、本当は公でつかうものではありませんが、仏教の考え方の参考までにご紹介します。

あるところに、悪いことばかりする人がいました。仏教の国ですから酒を飲むのはあまり品格がないとされます。そんな国で、酒を飲んだくれ、タバコを吸い、賭け事に明け暮れる、そういう生活をしている人がいました。村の人々からは「こいつは悪人だ」と呼ばれていました。

ある人が、その悪人に言いました。「あなた、そんなことばっかりしていると地獄に落ちますよ。まともな人間になりなさい。そうすると天国に行けますから」と。

すると、悪いことばかりしている人は「天国にはなにがあるの？　地獄にはなにがあるの？」とたずねます。そこでその人は「天国は、美しい花があったり、公園があって、仕事をする必要もなく、そこで歌ったり踊ったり、楽しく生きていられるところですよ。ところが地獄は、ものすごい火で焼かれたり、炙《あぶ》られたり、いろいろ、とてもきびしいところですよ」と教えてあげます。それを聞いた悪人は「天国には火がないの？」と確認します。ないとわかると「やっぱり俺は地獄に決めたよ」と言うのです。「どうしてまた、地獄に決めるだなんて言うのですか」と聞くと、「火がなくちゃタバコ一本も吸えないでしょう？」と答えました。

つまり、その悪人と呼ばれた人は、タバコを吸えないので天国に行くことを諦めたわけです。実に気楽なものです。

仏教の世界では、地獄に落ちるぞ、と言われても、あまり大げさに受け取りません。たとえ地獄であっても、苦しむのは自分が犯した罪に適した量だけだと知っています。天国に生まれたとしても、その楽しみは、自分がしてきた善行為に適した量だけだと知っています。真に仏教の人々は、地獄を必要以上に恐れたりはしません。「そのとき地獄に落ちても、善いことをしていれば、悪いことのツケが終わったらいつか上るものでしょう」と、気楽に思っています。そして、天国に行っても「永遠に安泰」とは思っていません。気をつけて行動します。「天国に行っても、徳が切れたら、また落ちるでしょう」と思っています。

すべては無常ですから、不公平なことは起こりませんし、永遠な地獄、永遠な天国などという、理屈に合わないことは妄想概念です。そんなものにおびえる必要はありません。無常を知ると、とにかく気楽に生きていられます。

このように、仏教の人は「なんでも無常」という事実を知っていて、その事実に基づいて、気楽に生活を送ります。無常を知っただけで、すごく落ち着きます。楽しくなります。無常を知らない人こそ、悩み・苦しみに陥るのだと、知ることができるのです。

一切のものごとへの執着は不可能

仏教の人は、また、「すべては無常ですから、執着なんてバカバカしい」ということも知っています。

花火が美しいからといって、誰がそのまま家に持って帰ろうと思うでしょうか。そんなことは不可能です。あるいは、シャボン玉がとてもきれいで、太陽の光が当たるといろいろな模様が見えて美しく、ずっと楽しんでいたくなったとします。だからといって持って帰って、家に置き物として置くことができますか？　できませんね。すぐに消えてしまいます。すべてのことは、花火やシャボン玉のように、瞬間で消えていきます。「一切のものごとは無常である」と知ると、ものごとに執着することは、シャボン玉を家に持って帰って置き物にしようと考えるくらいバカバカしいこととわかります。つまり、執着はかならず「失望」で終わると理解しています。執着は悩み・苦しみで終わるのです。ですから、仏教をわかっている人は、なにがあっても本当に無執着です。

世の中は執着による苦しみだらけ

世の中の人は、一時的なものにまるで永遠のもののごとく執着してしまい、苦しんでいます。世の中に、本当は執着できるものはなにもありません。すべてのものは、たえず変化して流れているのですから。それなのに、人はなんにでも執着してしまいます。それも、とんでもないほどに、ものすごく執着するのです。

最近では「空《から》の巣症候群」というものがあるそうです。一生懸命に子どもを育てて、家庭のために働いてきた母親が、いざ子どもが独り立ちしてしまったら、こころがぽっかり空になってしまって、なにもやる気がなくなってしまうことを言うそうです。これなどは、自分の子どもに執着している証拠です。子どもは二十歳くらいになれば自立してしまいます。いくら執着しても子どもは離れていきます。

あるいは、お金に執着する、仕事に執着する、健康に執着する、土地に執着する、権力やあれこれに執着する……、突き詰めて考えれば自分のものではないものへの、ありとあらゆる執着によって派手に苦しんでいます。

仏教の人は微笑みの人

世間は、仏教とあべこべなのです。たとえば、風船を持って遊んでいた子どもが、ふと手をゆるめてしまい、風船が飛んでいったとします。風船が手の届かないところに飛んでいってしまって、子どもが「わーん」と泣きます。そのとき世間のふつうの感覚だと「あぁ、かわいそう。取ってあげましょう」「では、もう一本買ってあげましょう」となるでしょう。

しかし、仏教徒は、まずにこっと笑います。「執着で泣いている」ことがわかるからです。「そんなこと、泣くほどのことでもなく、どうでもよいことなのに、この子にはわからないのだな」と、微笑ましく思います。その風船を戻してあげたり、別なものを買ってあげたりすることもできますが、そのどちらもできない場合もあるでしょう。そんなときは、仏教の人は「風船ってそんなものだから、忘れましょう」、「あなたが手をゆるめたから、風船が逃げたのでしょう。だから、泣いても、意味がないでしょう」などと、微笑みを浮かべて、穏やかな態度で接します。

つまり、世間の愚かさと、自分たちの精神的な安らぎを比較すると、微笑みが自ら現れるのです。仏教の人々にとっては、どんなことでも微笑みの種になり得ます。

どんなことでも面白いと思う明るさ

仏教の人のこころは、世間でため息をついてしまうような深刻な問題も、「人間って、不思議だな。面白いな」くらいの感覚で楽しんでしまいます。

私は以前、ある人をちょっと慰めてあげようと思って、その人の家に行ったことがあります。その人の家は、親戚同士がお互いにすごく憎しみ合っていました。財産の問題などがあって家族は誰も仲良くできません。喧嘩ばかりしています。みんなが自分のことばっかりで、誰のことも心配しません。その人にはかなり高齢のお母さんがいましたが、誰も面倒をみず、一人ぼっちでした。

　あるとき、そのある人が飼っていた猫が死んでしまったのです。猫が死んだことに一ヵ月間も泣き崩れていました。悲しくていても立ってもいられないと言います。「なんとかお経でもあげて、猫を成仏させてくれませんか?」と頼まれたので、引き受けることにしました。お経をあげることで、猫は成仏できるという確証があったからではありません。「本人に理解できなくても、祝福の経典でもあげてこよう」と思ったのです。

　私はその人の家へ行って、祝福の経典をあげました。そして私といろいろ話すうちに落ち着いたようでした。「死んだ猫とは長い間、一緒にいたのです」と悲しんでいます。しかし「母親とは一緒に生活したくない」とも言います。母親のほうでも、娘とも、息子とも一緒に生活することを望んでいませんでした。

　私は言葉のうえでは「それはたいへんですね」と言っていましたが、とても面白く感じていました。「自分の親のことは心配しないのに、猫にむちゃくちゃ執着して、精神的におかしくなるところまでいってしまう。これが人間なんだなぁ」と思いました。私が行ってお経をあげないと元気にならないなんて、かなり不思議で、かなり面白いことです。

このように、仏教からものごとをみると、人間のいろいろな矛盾点や不条理さは、明確にみえます。しかし、こういうことを示してあげても、自分を簡単には変えないことも、事実です。猫のために泣き崩れて、とてもこころ優しい人間だと演じる一方で、自分を産み、必死で育てて、苦労して立派な社会人にしてくれた年老いた母親に対しては、なんの優しさも感じない……。このような事実を無常という背景でみると、嫌な気持ちになる代わりに、面白くみえてくるのです。

不誠実さをアピールするＣＭ

不思議で面白いのは、人間の矛盾点だけではありません。世の中のあちらこちら、いたるところが、まったく矛盾しています。

テレビコマーシャルがいろいろありますね。見ると、皆さんは買いたくなるでしょう。あれほどまでにたくさんお金をかけて、派手に宣伝しているのは、コマーシャルを流せばかなり売れるからにはちがいありません。あるいは、人を騙《だま》すのはいとも簡単だからかもしれません。しかし、真剣にコマーシャルを見ているると、なにを言われているのかわからなくなったりもします。「買うなよ、怪しいぞ」というメッセージも伝わります。「ついに発見しました」などと言うでしょう。健康のために十年や十五年、二十年も研究してやっと発見しました、などと言っていても、本当にそれくらい時間を費やして研究したのかどうか、疑問が生じます。ときどき、女の人がでてきて「私は五〜六年も使っています」「欠かせない」「生きがい」などと言ったりします。「五年も使っていいます」と言いますが、その製品は最新の技術により発明した、「新発売」商品です。「では、あの女性はどうやって五年も使っていたの？」と、不思議でたまらなく感じます。

外国のテレビショッピングの場合は、もっと滑稽《こっけい》です。なによりもまず、面白くプレゼンテーションすることを優先します。プレゼンテーターが有名で能力のあるタレントさんだったとしても、宣伝している品物とはなんの関係もないでしょうに、と思ってしまいます。

ある番組で、フライパンを紹介していました。セールスポイントは、油をたくさん使わなくても料理ができるということでした。「このフライパンで料理をすると脂肪が減って健康な身体になります」と、強調します。しかし、考えてみれば、どんなフライパンでも油を少なめに使えばよいのではないでしょうか？　「それなら従来の二千円のフライパンでもことはすむはず」と、思わずにはいられません。

それ以外にもテレビショッピングでは、いくつかの会社がそれぞれの会社の商品を、同じモデルや同じコピーで宣伝していたりするので、その品物を信頼して買うというよりは、おかしく、笑ってしまうためのネタにしたほうがよいと思えてきます。そこで私は、笑いたくなったとき、テレビショッピングにチャンネルを合わせるのです。ユーモアを持っていない人なら、派手なコマーシャルに圧倒されて、衝動買いしたあとで、使用する機会も保管する場所もなくて悩むことでしょう。ユーモアのある人なら、きっと、コマーシャルの屁理屈に十分笑ってから、冷静にその品物が本当に必要か、役に立つのかと自己責任で判断して、買うことにするでしょう。

こういうコマーシャルの宣伝の方法も、私にとっては実に不思議です。

世の中は、笑いでいっぱい

世の中というのは、どちらを向いても本当に笑いがいっぱいです。

夜の十一時くらいに電車にでも乗ってみてください。仕事でくたくたに疲れたうえに酒を飲んでいて、まともに歩けないサラリーマンなどがたくさんいます。あちこちで転んでいます。しかし、当の本人は「俺は、最高に気分がいい」と言うのですから、びっくりです。転んでぐたぐたになっているのに、「ストレスがなくなって気分がよい」だなんて、まわりから見たら笑えるでしょう?

たまに最終電車に乗ると、かならずと言っていいほど、酔っぱらいがいます。べろんべろんになっている人を見て、「この人は自分の駅で降りられるのかなぁ?　それとも終点まで行って、朝まで待つのかなぁ?」などと考えます。「あんなに酔っていてやだなぁ」「心配だなぁ」などとは思いません。「面白いなぁ。ちゃんと降りられるのかなぁ」と、楽しく考えるのです。

それから、お花見も面白いのです。毎年、春に桜が咲くと、皆、狂ったようにお花見と称して飲んでいます。私が面白く感じるのはお花見そのものではなく、お花見をする皆の愚かな様子です。お花見は、冷静に観察すると、けっこうたいへんです。風が強くて苦労したり、寒くて仕方なかったりします。コンロでなにか焼きながらお花見をする人もたくさんいます。かなりの手間や苦労が必要です。しかし、皆さん、お花見の「楽しくない」部分にはまったく気づかずに、たいへんな思いをしながら「お花見はとっても楽しいです」と言っています。それが面白くてたまりません。

バカにしているわけではありません。世間の人間の不思議さが、微笑ましいのです。仏教から世の中をみると、本当にお金をかけずにいくらでも笑えます。

仏教がいかに世の中を面白くみているか、おわかりになりましたか？　次はいよいよお釈迦さまのユーモアを、経典にあるエピソードからいろいろご紹介していきます。厳密にいえば、ユーモアというより「やさしく、楽しく、面白く」というのが、お釈迦さまの語り口であり、仏教のユーモアです。私の説法がそうなのではありません。お釈迦さまなら、やさしく、楽しく、面白くお話しになります。

最初にお話ししたとおり、仏教のユーモアについては参考文献などがなく、今回はじめて調べてみました。お釈迦さまはとてもたくさん、素晴らしいユーモアで教えていらっしゃいます。そのなかのほんの一部を、テーマ別にご紹介していきましょう。

II

経典にあるユーモアエピソード

第3章

ぶつけられた怒りの扱い方

エピソード1「誹謗《ひぼう》中傷のおもてなし」

あるとき、あるバラモンが、お釈迦さまを言いたい放題に非難・侮辱・誹謗《ひぼう》中傷をしました。きっかけは、そのバラモンの友達が、お釈迦さまに会って話しただけで出家したことでした。出家したバラモンは、バラモンのなかでも有名人だったので、その人が出家したことにバラモン側の面目は丸つぶれだったのです。ですから、「お釈迦さまはバラモンの宗教に泥を塗った」と思って、とても怒ったのです。

バラモンは、お釈迦さまに直接会いました。お釈迦さまに対して挨拶の代わりに、ふつうは人間に対して使わないほどきびしい言葉で、罵《ののし》りました。気がすむまで誹謗中傷の言葉を吐き出しました。

侮辱されたお釈迦さまは、本人が喋っているあいだは、ずっと待っていました。そして、怒ったバラモンが疲れ切って話をやめたときに、こう切り出しました。

「あなたは、どう思いますか？」

と。その調子は、さんざん怒られたあとにもかかわらず、経典にあるパーリ語そのまま、まるで教えを説くかのごとくです。お釈迦さまはおたずねになります。

「あなたは、どう思いますか？　自分の家に友達とか親戚とか、あるいはお客さんとか誰かがときどき来たりするでしょう？」

侮辱したバラモンは「ええ、来ますね」と答えます。

「あなたはお客さんが来たら、毎回ではないかもしれませんが、腕を振るってご馳走したりする場合もありますね？」と、お釈迦さまは続けます。侮辱したバラモンはまだ怒っていて、「ありますけど！　それがなにか！」という感じで答えます。お釈迦さまは続けて質問なさいます。

「もし、たくさんご馳走を作ったのに来る予定のお客さんが現れなかったら、その食事をどうしますか？」

するとと、バラモンは「ご馳走なので、私と、家内と、子どもたちで食べます」と答えました。そこでお釈迦さまは、本人からの答えをもとに、結論を出しました。
「いま、あなたは私に誹謗中傷・非難・侮辱などの接待をしましたが、残念ながら私はそれを受け取りません。ですから、自ずとその誹謗中傷・非難・侮辱は、あなたと、奥さんと、子どもたちで受けることになります」

この一言で、一発で解決です。

侮辱されても黙っていなさい

このエピソードによる教えの一つは、「侮辱されても黙っていなさい」「侮辱に対して反応しない態度をとりましょう」ということです。どうですか？　面白いだけでは終わらず、見事なまでに言い返しているでしょう。これが、お釈迦さま流のユーモアです。

われわれは怒られたとき、どうするでしょうか？　お釈迦さまのようにいたってふつうの口調で、しかし強烈にユーモアをつかって切り返すのは、なかなかできることではありませんね。

お釈迦さまは、かなりすごい勢いで侮辱されても、相手が話し終わるまで、じっと黙って聞いています。それが仏教の一つのポイントです。ふつう、相手が喋り出すと、こちらも途中で話をするでしょう？　しかしそれは、仏教では間違った方法だと考えます。人が喋っているときは、終わるまで喋らせたほうがよいのです。もしそのとき時間がなかったら、「時間がきましたので帰ります」ということで十分です。

しかもいまのエピソードは、当時のインド文化の背景を踏まえると、かなりシビアな状況なのです。まず、バラモンといえば、インドの四つのカーストの最上位です。彼らは聖職者でもあります。かなり社会的地位のある人が、お釈迦さまに文句を言ったわけです。バラモンカーストの人々は、自分たちだけに神々との直接関係があると言い張っていました。そしてバラモン人に嫌な思いをさせると神々からきびしい罰が当たるとか、呪われるなどと言って人々を脅《おど》していました。ですから一般人も、バラモン人の気に障ることを怖がったのです。

呪いの言葉という迷信が、インドではふつうです。聖職者に呪いの言葉をかけられると、確実にそのとおりになって不幸に陥るのだとまじめに信じていました。人が呪いをかけたからといって、決してそのとおりに呪われるわけではありませんが、迷信を信じない人にしても、呪いの言葉をかけられると、あまりよい気分はしないでしょう。一般人にとって、バラモン人に「罰が当たる」「死んでしまえ」「象にでも踏まれればいい」などと言われるのは、十分怖いことです。お釈迦さまに対して、その偉いバラモンは、自分の力の限りの罵声《ばせい》の言葉をつかっていました。そこまで言えばお釈迦さまがおびえて、冷や汗を流して、許しを乞うだろうと思ったのかもしれません。

お釈迦さまも、呪いの言葉に対するインド人の迷信をもちろんご存じでした。このバラモンもその迷信に乗っていて、自分を非難・侮辱していることを知っていたのです。それなのに、お釈迦さまはすごくニコニコと微笑みながら、「あなたのこの接待は受け取れませんから」と、辞退しています。そして、接待をお客が受け取らなかったら、誰が受け取るのかというと、本人が先に言った答えどおり、自然にその権利が自分と奥さんと子どもたちに回ると切り返しています。

怒りを受け取らないこと

「聖職者の呪いがかならず当たる」という迷信を、このバラモンは信じていたにちがいありません。お釈迦さまに、「呪いの言葉を受け取る権利は、言った相手に自ずから回りますよ」と言われたバラモン人は、どんな気分になったでしょう。

このやり取りは、お釈迦さまにしてみれば「面白かった」という程度の感想でしょう。しかしバラモンにとっては「まずいことをしました。人をうかつに調子に乗って侮辱するものではない、とても危険なことです」という教訓になったでしょう。お釈迦さまの、この小さなユーモアで相手の性格をいとも簡単に改良することができたのです。

それから、お釈迦さまは、冷静に彼に語ります。

「バラモンよ、侮辱する人に侮辱を返す人、

怒る人に怒りを返す人、
喧嘩を売る人の喧嘩を買う人。
侮辱はその人のものになる。
怒りはその人のものになる。
喧嘩もその人のものになる。」
[Yo kho brāhmaṇa akkosantaṃ paccakkosati,
rosentaṃ paṭiroseti,
bhaṇḍantaṃ paṭibhaṇḍati,
ayaṃ vuccati brāhmaṇa sambhuñjati vītiharati.]

と、説かれたのです。ようするに「侮辱を侮辱で返さない人が、侮辱されない、傷つかない」という意味なのです。

相手が侮辱をしたときに、自分が侮辱の言葉を返してしまうと、侮辱を受けたことになります。たとえば、人が「お前は死んだほうがましだ」と言ってきた場合、それに対して「なんてことを言うんだ！」と反応を返せば、もう「呪い」を受けています。

私たちは無知ですから、いとも簡単に他人の非難・侮辱を受け取ってしまいます。受け取ったら苦しいのです。お釈迦さまは、「黙っていなさい」とおっしゃいます。「反応しなければ自分が受け取ったことにはなりませんよ」ということです。

怒った人に怒りで返す人は悪い

このバラモンとのエピソードは、ここで終わるのではなく、続きがあります。

「それらの非難・侮辱を私は受け取りません。ですから、これはあなたのものになるのです。あなたのものになるのです」と、お釈迦さまは二度も、繰り返しておっしゃいます。するとバラモンは「王様を含む偉い人々は、お釈迦さまは悟った人であると言っています。しかし、お釈迦さまはいま怒っているでしょう」と、反論します。

これは、バラモンが自分の侮辱の言葉だけではなく、お釈迦さまのお返しの言葉まで受け取って、機嫌がさらに悪くなったということでしょう。お釈迦さまは怒っていません。自分がお釈迦さまの分まで怒っていたのです。本当はここで、バラモンはいままで自分がなにを言っていたのか、それについて考えて反省するべきなのです。

ですが、自分がさんざん、失礼なことを言ったことは、もうチャラにしてしまって、自分の非難、侮辱をなかったことにして、言い返しています。怒っているのは自分なのに、相手が怒っているとさえ言うのです。人間というのは、どこまで愚かなのでしょうか。大いに笑えます。

お釈迦さまは説法します。［Akkodhassa kuto kodho dantassa samajīvino,（アッコーダッサ　クトー　コードー　ダンタッサ　サマジーヴィノー）］、「怒りをなくしている人にとって、怒りがあるわけがないでしょう」と。つまり、「こころを清らかにして制御している人には、怒りなどはない」ということです。経典には、別の言い回しで、［Sammadaññā vimuttassa upasantassa tādino.（サンマダンニャー　ヴィムッタッサ　ウパサンタッサ　ターディノー）］、「一切の境地を発見して、こころが安穏の境地に達している人にとって、怒りなどというものはない」ともあります。

そして、「怒った人に対して、怒りを返したならば、それがいちばんたちの悪い態度だ」と、お釈迦さまはおっしゃいます。

怒りで返さない人は、相手のこころまで楽にする

たとえば、Aさんが私に怒ったとします。私はなにもしていないのに、Aさんがものすごくカンカンに怒っています。そのとき、私も怒りで返してしまうと、Aさんと私とでは、いちばん悪いのは「私」になります。

よく覚えておいてください。誰かが来て皆さんに怒ったなら、皆さんはおそらく怒り返すでしょう。そのときどちらのほうがより悪いのかというと、怒りを返したほうがすごく悪いのです。ちょっとびっくりするかもしれませんが、実は悪いのは、最初に怒った人ではありません。

いったいなぜ、怒りを返した人がより悪いことになるのかというと、まず第一に、人の話を聞いて怒ったでしょう。それで、もうこころは汚れています。こころを汚したこ

とは一番目の罪です。それから、相手に怒りを返すでしょう。人に怒りの言葉を話すことは二番目の罪です。ですから「自分がなにも悪いことをしていないのに、相手が勝手に怒っているから怒りを返すことはとうぜんだ」という考えでいると、先に怒った人より、怒られた人は罪二つを犯すことになってしまいます。

反対に、誰かにわけもなく怒られたとき、怒った人に怒りで返さないなら、その人はすごいことをしています。相手の言葉に対して、「私は怒りません」と自分を戒めていますます。自分にとっては、怒りに負けない免疫がつきます。とうぜん、相手に怒りの言葉を返しません。相手は、自分の怒りのストレスを発散しただけで、怒りを放った相手の側からは怒りの炎に対する燃料はこなかったことになります。ですから、相手の怒りの炎は消えるのです。

つまり、怒りを怒りで返さない人は、ただそれだけの行為で、性格の悪い人の性格まで変えてしまいます。こころが汚れて苦しんでいる人の、こころの汚れを落として楽にしてあげることができます。これはすごいことです。自分のためにも、相手のためにも役に立つ、優れた行為です。

怒らないことの素晴らしさ

このエピソードで、お釈迦さまは、「怒った人に怒りを返す人は、理性のある人からみれば愚かである」と、バラモンに説法したわけです。ですから、単なる会話上のジョークでは終わっていません。ユーモアのあるやり取りのあとで、「事実は、真理は、こういうことです。あなたは知っていますか？」と教えています。「相手が怒っても、怒り返してはいけません」「怒り返したら、なおさら悪いのです」。そして「怒らない人は、相手まで治してあげるすごい人です」と、丁寧に説かれています。

そのようにお釈迦さまに言われたバラモンは、自分がどんなことをしたのか、よくわかったのです。そのバラモンも偉大なる宗教者です。そして、「もう、しょうがない。それでは私も出家します」と、決断します。もともとは友達が出家して腹が立って、お釈迦さまを侮辱するために来たのですが、結局、本人までも出家して終わりました。そのバラモンは、のちに瞑想して悟りにも達しています。怒らないことの素晴らしさをわかったのです。お釈迦さまのほんのわずかなユーモアが、偉大なる結果で終わったのです。*

*この章の引用経典は、相応部有偈篇婆羅門相応2（Saṃyutta-nikāya, Sagātha-vagga, Brāhmaṇa-saṃyutta 2）

第4章

朗らかに人を導く

エピソード2－1「ジャイナ教徒のガーマニに業(カルマ)について説く」

ジャイナ教徒のガーマニがお釈迦さまに会ったときのことです。お釈迦さまは、ガーマニがジャイナ教の信者であると知ったうえで質問します。

「えーっと、ガーマニさん。あなたの宗教では、教祖様がどのように信者さんたちを躾《しっ》けているのですか?」

ガーマニは、答えます。

「教祖様は『もし人が、殺生《せっしょう》、偸盗《ちゅうとう》、邪淫《じゃいん》、両舌《りょうぜつ》などを犯すなら、かならず皆、地獄に落ちます。なぜなら、人は数多く行う行為によって導かれるからです』、と教えますよ」

それを聞いたお釈迦さまはおっしゃいました。

「数多く行う行為によって導かれるとする言葉が正しければ、誰も地獄には落ちませんね」

ジャイナ教の教え方の矛盾を指摘

これは、業（カルマ）についてのエピソードです。

皆さん、インドのジャイナ教はご存じですか？　ヨーガのヒンドゥー教はよく知られた宗教ですが、日本ではジャイナ教はあまり知られていませんね。しかし、ジャイナ教はお釈迦さまの時代からずっとあった立派な宗教です。ヒンドゥー教にあるヨーガをする習慣には、それほど長い歴史はありません。ヒンドゥー教のもとになったバラモン教に対しては、お釈迦さまは軽く非難する立場をとっていらっしゃいましたが、ジャイナ教を一方的に批判することはなさいませんでした。生贄《いけにえ》を賛嘆するバラモン教とは異なり、ジャイナ教には「非暴力主義」など、非難できない教えもありました。ヒンドゥー教の非暴力主義は、その宗教の本来の教えではなくジャイナ教の受け売りです。

最初にお釈迦さまは、ジャイナ教の先生は、どういう教えで人を育てているのかという質問をしています。すごく優しく、ごく一般的な会話でたずねます。

それに対してガーマニは、ジャイナ教の先生は「誰かが殺生をするなら地獄に落ちます」「誰かが盗みをするなら地獄に落ちます」「誰かが邪《よこしま》な行為をするなら地獄に落ちます」「誰であろうと嘘をつくなら地獄に落ちます」と、教えるのだと答えています。

さらに、ジャイナ教の先生が「悪い行いをすると地獄に落ちる」理由として説いているのは、「数多く行う行為によって、習慣的な行動によって、次が決まるから」だとも説明しています。

「癖になったら、その道に行くのだ」というのは、とても論理的です。なにも悪いことを言っていないでしょう？　「嘘を言ったら、地獄に落ちます」という言葉は、誰でも「あぁ、当たり前のことだ」「正しいことだ」と思うでしょう？　どうですか、皆さん。

しかし、そのジャイナ教の教えに対し、お釈迦さまは、「数多く行う行為によって、習慣的な行動によって、地獄に落ちるという話ですね？　ガーマニさん、それだったら誰も地獄に落ちませんよ」と、ずいぶん軽々と反論なさいます。それがどういうことかを説明するために、このあとに、さらに質問を投げかけていらっしゃいます。

「ねぇ、ガーマニさん。誰か殺生する人がいるとしましょう。その人は昼か夜か、とにかく起きている時間に殺生をするとしましょう。しかし、考えてみてください。殺生する時間と、しない時間と、どちらの時間が長いでしょうか？」と。

生命を殺す人がいるとします。その人はそのときそのときで、気が向いたら、朝であろうが、昼であろうが、午後であろうが、夜であろうが、殺生をするのです。しかし、その人の一日をみれば、長い時間、なにをしているでしょうか？　殺生をしているのか、していないのかと考えると、とうぜん殺生していない時間のほうが長いはずです。

ガーマニもやはり、「殺生しない時間の方が長いです」と答えました。

お釈迦さまは「それなら、彼が一日のうちでたくさんしているのは『殺生しないこと』です」と、答えます。殺生した時間というのはほんのわずかで短いのです。「一日のあいだで長い時間殺生しないでいたのですから、その方向に導かれます」とおっしゃいます。つまり、「殺生しても地獄に落ちない」ということになってしまうのです。「ですから、あなたの先生が言っていることが正しければ、誰も地獄に落ちませんよ」と言って、お釈迦さまは「ジャイナ教の教祖が言っていることは間違いです」と、きっぱり指摘します。一見、とても正しいように思えるジャイナ教の理屈をしっかり壊してしまったのです。

しかもそのあと、一項目ずつ続きます。お釈迦さまは「では、次に嘘をつく人をみてみましょう。人は嘘をつきます。しかし、その人が嘘をつく時間と嘘をついていない時間を比較すると、どちらの方が長いのですか？」と、問いかけます。

ジャイナ教では長い時間行った行為によって次の運命が決まると言っています。嘘をつく時間とつかない時間では、とうぜん嘘をつかない時間のほうが長いですから、「残念なことに嘘をついても地獄には落ちませんよ」と指摘します。つまり、お釈迦さまは「あなた方の言っていることは大失敗です」と、おっしゃっているのです。

ちなみに、ジャイナ教の教祖の名前は「ニガンタ ナータプッタ［Nigaṇṭha-Nātaputta］」といいます。ニガンタナータプッタ先生は、人々に「嘘をついてはいけません」と言いたいのです。「殺生してはいけません」と、道徳を教えたいのですが、先の教え方では、論理的に考えると反対のことを教えていることになってしまいます。（このエピソードのオチは、「殺生するなかれ」と言いたいのに、「殺生しても大丈夫だ」とまじめに言っているところです。しかしお釈迦さまのユーモア術では、このようにオチを自分のインスピレーションで感じなくてはいけません）

このエピソードでもわかるように、仏教では「完璧に語る」ということに関してすごくきびしい態度をとります。完璧でないと、すぐにお釈迦さまはそのポイントをにこっと笑って指摘なさいます。

お釈迦さまは続けます。

「ガーマニさん、あなたはジャイナ教の先生が言っていることが間違っているとわかるでしょう?」とお釈迦さまはおっしゃいました。「結局、言っているのは『誰も地獄には落ちない』というような話です。間違った意見を持つことを『邪見』といいます。先生が邪見を持っていたら、先生の邪見を聞いた生徒たちも邪見に陥っているでしょう。殺生などの行為とちがって、考えはずっと持ち続けます。邪見（思考）だけはずっと身につけてしまうのです。よく覚えておいてください」

そんなふうに、わかりやすく解説します。

邪見（間違った考え）を持ち続けるのは危険

「邪見はずっと持ち続ける、身につける」というのは、どういう意味かを説明しましょう。

ここに「殺生をした人は地獄にかならず落ちる」という邪見があります。その論理のなりたちは「長い時間、（数多く行う）行為をしたから」ということになっています。殺生は、先ほども説明しましたが、たまたまするもので、ずっと殺生しっぱなしということはありませんね。

通り魔事件が起きて、何人もの人が殺されたというニュースがたまに流れます。犯人は、あっという間に人を殺してしまいます。殺生の時間はそのときだけです。しかし犯人は、何年も社会に対して、自分に対して、怒り憎しみをいだいていました。それはその人の考えであり、意見です。逮捕され、死刑判決を受け、死刑が執行される間も、その犯人は、自分の意見だけは持ち続けます。殺生などの発作的に起こる罪より、意見、考えなどは長い時間、持ち続けるのです。

意見を持っている時間と意見を持っていない時間、というのはないでしょう？　意見というのはずっと持っているのです。身につけています。これは怖いことです。

嘘をつく場合は、その場その場に応じた嘘をついたり、つかなかったりします。しかし、われわれが持っている意見というものは、ずっと二十四時間、持っています。夢を見るときでさえ、意見に逆らった夢は見ません。

ですから、お釈迦さまはさらに言うのです。「私は、『邪見を持つ人は直行で畜生に生まれるか、地獄に生まれるか、どちらかです』と説きます。そういうわけで、あなたの先生と、あなたたちは、直行で畜生か地獄に生まれます」。そこでこのエピソードは終わります。

結局、お釈迦さまがぜんぶ逆にして返したのです。「殺生した人は地獄に落ちますよ」とジャイナ教の教祖様は言いますが、「本当に地獄に落ちるのは誰でしょうか？」と切り返しています。地獄に落ちるのは、ジャイナ教の教祖様とその弟子たちのことになってしまったのです。*1

これはもちろん、脅しているわけではありません。「その意見は間違っていますから捨ててください」と、正しい方向を指導しているのです。

こころを重視する仏教

「殺生をし続ける人はいませんが、考えはずっと持ち続けます。邪見を捨てない限り、地獄へ落ちますよ」というお話からは、仏教がいかにこころによる行為を重視するかをうかがうことができます。仏教では「これは罪だ」としている行為は十種類しかなく、それを「十悪[*2]」といいますが、その十種類は三・四・三の三つに分類されます。身体で行う行為の三つと、言葉による四つと、こころだけで行う三つです。

ジャイナ教は、「殺生」など身体で行う行為の罪は、こころで悪いことを考える罪より重いのだとし、身体で行う行為を重視しています。それに対して仏教では、たとえ身体で悪い行為をしなくとも、こころで悪い行為をすれば、その結果が業（カルマ）として自分に返ってくるとします。ちなみに、こころだけで行う三つとは、瞋恚《しんに》・貪欲《とんよく》・邪見《じゃけん》です。たまたまなにか、わけがあって怒ってしまうことではなく、病的に怒り、憎しみの思考でいることが瞋恚です。私の訳は「余計・異常な怒り」です。貪欲の場合も、

＊1　相応部六処篇聚落主相応8（Saṃyutta-nikāya, Saḷāyatana-vagga, Gāmaṇi-saṃyutta 8）

＊2　十悪
殺生（殺す）・偸盗（盗む）・邪淫（邪な行為をする）・妄語《もうご》（嘘を言う）・両舌（噂を言う）・綺語《きご》（無駄話を言う）・麁悪語《そあくご》（悪口を言う）・瞋恚（こころで勝手に妄想する怒り）・貪欲（こころで勝手に妄想する欲）・邪見（間違った意見を持つ）という十種類の行為。仏教ではその行為自体がいつでも罪になるとする。

ふつうに人間にある常識的な欲ではなく、病的な欲、異常欲です。

身体で行う殺生は、ワンアクションで終わります。しかし、頭で考えることは、たえず起こっています。こころで勝手に考える欲望や、こころで勝手に考える怒りや、勝手な考えそのものは、数多くの行為になります。お釈迦さまは、そういうわけで、いつもこころのほうを重視していらっしゃいます。

瞬間、瞬間の行為は、すべて結果が出る

お釈迦さまは、ジャイナ教に対して「言っていることが間違っている」と指摘し、それをユーモアで伝えました。ジャイナ教で言っている「数多く行う行為が結果を出す」というのは、実際、正しいのです。しかしそれを「殺生」など、数少ない行為を挙げて教えているのが間違いだと、お釈迦さまは指摘しています。

仏教で、お釈迦さまがおっしゃるのは、「われわれが瞬間、瞬間に行う行為は、すべて結果が出る」ということです。この「こころの瞬間論」というのは、仏教が発見した

真理で、他宗教の方は知りませんでした。他宗教は「魂論」です。ずっと変わらない「魂」「自分」があると考えますから、ちがうのです。仏教は、「すべては、あるともないとも言えない、瞬間、瞬間の生滅《しょうめつ》だけ」という考え方です。

いつでも、われわれは行為をしています。殺生だけにスポットライトをあてて「そんなことをしていると地獄に落ちるぞ」と言ったところで、その人は殺生ばかりしているわけではありません。農作業もするし、仕事に行くし、料理も作るし、友達を助けたりもします。ずーっと生きているうえで、善いことも悪いこともしています。

殺生はたしかに悪いのです。殺生する人は、不幸に陥る可能性があります。たとえば、とっても大物の魚を何匹も釣れたことに大喜びしたら、殺生という罪を犯しています。さらにそれを長い間、魚拓や写真にでもとって自慢し続けたら、殺生という行為を何度も思い出して、頭のなかで殺生を繰り返してしまいます。それは、自分の不幸につながります。

お釈迦さまは「悪い行為は、破ってください」とおっしゃいます。自分の行いがかかっこ悪いと知って、やめようと思ってください、とおっしゃいます。悪いことをしなくなって、そのうえ、「慈悲」を実践しましょうと説きます。

「人類の世界に仏陀が現れ、『殺生は悪い。ですから、殺生はやめなさい。盗むのは悪い。やめましょう。邪な行為は悪い。やめましょう。嘘は悪い。やめましょう』などと私が喋ると、その私の話を気に入る弟子たちが現れます。この弟子たちは、私が殺生や盗みや、邪な行為や嘘をつくことを批判するのを聞いて、『しかし正直なところ、自分はときどき、やってしまう。けっこう身に覚えがある』と思っています。それを自分たちで『いくらなんでも、そんな行為はかっこ悪いから、やめよう』と思うことでやめていくのですよ」と、お釈迦さまはおっしゃいます。

弟子たちは、自分たちで「殺生はやめよう」「盗みはやめよう」「邪な行為はやめよう」「嘘をつくのはやめよう」と決め、それからそういう行為をしないように生活するようになるのだということです。

つまり、お釈迦さまがなさったことは、道徳を設定してあげることなのです。それによって人々は十悪からこころが離れ、こころがすごくきれいに、穏やかになります。さらに、人々が四方八方に対して、怒りと欲をなくして、「慈悲喜捨」の「慈しみ」で生活するようになるのです。お釈迦さまは、そのように人を育てます。

仏教の真髄、「慈悲喜捨」

「慈悲喜捨」というあり方こそ、仏教が目指すところです。「慈悲喜捨の瞑想」というものがあります。これは一切の生命に対して慈悲のこころをひろげることです。そして、どこまで慈しみのこころをひろげていくのかというと「無量」というところまでです。つまり、「どこまでも」ひろげます。無条件に「慈しみ」を育てていきます。

まず、悪いことをやめます。悪いことをやめて、慈悲の実践に入ります。慈悲の実践は、無量の善行為、いわゆる無限の善行為です。無限に善行為をしている人にとっては、ちょっと生命を殺したという経験があったとしても、そんな悪行為が無効になってしまいます。

たとえば、誰かが億万長者から一円をとったからといって、その人がひどく責められたりはしないでしょう？　十万円しか持っていない人から、二万円をとってしまったら、それはかなり大きな行為、問題になる行為ですけれど。つまり、「無量の慈悲の前では、少数の罪が無効になる」とは、そのようなことです。徳の量の問題です。

無量の善行為があって、限りのある罪があるのです。誰でも生命を殺したことがあったり、嘘をついたこともあったり、不倫をしたこともあったり、なにかしら犯した罪があります。しかしその本人がいま、無限・無量の善行為をしていれば、それで大丈夫なのです。

ですから、「犯した罪は結果を出す能力を持っているが、無量の善行為によって結果を出せなくなるのです」というのが、仏教の考え方です。原因があると結果が現れるのは法則です。悪行為には悪結果がある、という法則は変わりません。悪行為を犯していない生命は存在しません。しかしそこで「不幸になっても、どうしようもない、仕方がありません」と諦めると、〝運命論〟という邪見に陥ることになります。

　ところが、少量の悪行為に対して無量の善行為を行うと、結果が出るときに力の原理がはたらきます。力の強いほうが、先に結果を出します。過去に感情に負けて犯した罪に対して「私はいま、無限に慈悲をひろげているすごい状況にいるのだ。悪行為の結果が出ない状況なのだ」というやり方で、業（カルマ）に負けないようにするのです。

　お釈迦さまは「このように人々に語ると、人は悪をやめて善の道を歩むようになります。ただし、理性がある場合です。理性がなかったら、どうしようもありません」と、おっしゃいます。

悪ではなく、善のほうをみる仏教

　ジャイナ教の先生は、結果を出す数多くの行為を「罪」としてしまいましたが、お釈迦さまの教えを実践するなら、結果を出す数多くの行為は「慈悲」です。慈悲は、毎日、いつでも実践することができます。〝生命がすべて幸せでありますように〟と、気持ちをひろげることは、いくらでも、限りなくできます。

仏教では、「私は罪を犯したことがある」と、泣いたり悔やんだりしません。世間一般では「悔い改めなさい」「後悔しなさい」と言いますが、仏教では、たとえ罪を犯してもぜんぜん気にしません。「過去の罪？　なにを言ってるんですか？」という感じです。

罪は認めます。仏教徒も罪はかっこ悪いことだと知っています。そして、仏教徒は「罪を犯すのはやめます」と思い、こころを清らかにして、「『慈悲喜捨』の『慈しみ』の気持ちで生活していきます」と決意します。その決意とともに、偉大なる善行為に入ります。それで、その人の罪は無効になるのです。

仏教の考えでいけば、「地獄に落ちるぞ」と脅すことはかっこ悪いことです。間違っている宗教は人を脅します。お釈迦さまは脅しません。罪を犯した人にも、悪いことはなにも言っていません。からかうだけです。

お釈迦さまの弟子たちは、さんざん「殺生は悪い」とお釈迦さまに言われます。そして、言われているうちに「なんだかんだ言っても、私は殺生をしたことがあるなぁ」と正直に認めるようになります。殺生はよくないことを叩き込まれますから、「もう、そんな悪いこと、かっこ悪い行いはやめるぞ」と決心するのです。

弟子たちの気持ちが書いてあるパーリ語を読むと、微笑ましくなります。「お釈迦さまは徹底的に批判をしますけど、でも私は…」などという言葉で自らの罪を正直に書いています。そこにはにこにことした、笑いがあります。「地獄に落ちるなんて、どうしよう。怖いなぁ」などと、びくびくしてはいません。お釈迦さまは、誰でもが本当に幸福のほうへ行くように教えているのです。脅しません。

第5章

伝える相手に合わせて説く

エピソード2－2「ジャイナ教徒のガーマニに説法の順番について説く」

さて、お釈迦さまとジャイナ教徒のガーマニとの間には、業（カルマ）についてのやり取りの他に、もう一つ、テーマが異なるエピソードが記録されています。

ガーマニは、さらにお釈迦さまに質問します。

「お釈迦さまは、一切の生命に対して憐れみを持っておられるのではないでしょうか？」

と聞きました。お釈迦さまは、

「はい、一切の生命に対して憐れみを持っています」

とお答えになりました。すると、ガーマニは

「では、なぜある人々には詳細に説法をするのに、ある人々には省略するのですか?」

とたずねました。お釈迦さまは、答えるうえでの質問を返します。最初に

「では、ガーマニさん、あなたにたずねますから、好きなように答えてくださいね」

と前置きしてから、

「田畑が三つあります。一つは土地が良くて、平らで、水があって、栄養もある、立派で抜群な畑です。もう一つは中ぐらいで、水もそれなりにあるし、土地も別に悪くはない。ちゃんと気を配って作業すれば、作物はできます。三番目の畑は、最悪。水はなく、石やいろいろなものがあって平らではないし、とても作物のできそうにないところです。では、この三つの田畑のうち、作物を育てる人は、先にどの畑を耕すのでしょうか?」

と質問しました。ガーマニは、

「それだったら、いちばんグレードの高い畑を先に耕します」

と答えました。さらに理由についても説明します。

「理由は、確実に作物が採れるからです。それでもさらに時間があったら、中ぐらいの

畑を耕してみます。もっと時間が余ったら、どうにもならない土地でも、一応、種を蒔いておきます。なぜ使いものにならない土地にも種を蒔くかというと、仮に人間に食べられるようなものができなくても、なにか動物が食べるようなものはできるかもしれないと考えるからです。自分が飼っている牛も、そのあたりに放してあげればイネやトウモロコシを食べられますからね」

と、丁寧に答えました。お釈迦さまは、ガーマニの言葉を聞いて、

「ねぇ、ガーマニさん、さっきの質問ですけどね、理性があって、仏教を理解して修行をしようと、自分の全財産を捨てて、命を懸けている弟子たちがいるのですよ。その人々は覚悟をして、『解脱に達するぞ』と命を懸けています。それほど真剣に私を頼っています。私はそういう人々に、先に説法をするのですよ」

と答えました。

「なぜかというと、そういう弟子たちはみるみるうちに結果を出すからです。それから次に私は、私の話を信じて実践する在家の人々に説法します。その人々も私を頼ってい

ます」

つまり、二番目には在家の人々に説法するとおっしゃいました。そしてさらに、「次に邪教の人々のところに行ったら、また同じように説法しますよ。なぜかというと、もしかすると微塵《みじん》でも、この人々のこころが清らかになるかもしれないと思うからです。ちょっとでも善いことをするようになるでしょう、という期待からですよ」と、おっしゃいました。

相手の思考に沿って返事をする

最初に、ガーマニは「ある人にはすごく丁寧に、きめ細かく説法するのに、ある人には省略して簡単な一言で終わったりするのは、おかしいのではありませんか?」と、お釈迦さまを責めたのですね。この問いにお釈迦さまは、なんのことなく仏教のやり方で返事をしています。仏教の返事の仕方では、けっして自分の意見を言いふらすことはしません。相手の思考を導きます。このときも、そのやり方でした。

田畑の例を持ち出して、ガーマニの考えを先におたずねになります。ガーマニの結論は「悪い畑を耕すのは三番目です」というものです。これは、すべてガーマニが自由に答えたことです。お釈迦さまが考えたわけではありません。お釈迦さまは、その相手の論旨展開に沿ったかたちで「いちばん最初に弟子たち、次に在家の信者、次に他宗教の方という優先順位ですよ」と説明します。説法の内容は誰に対しても同じだけれど、説法をする順番があるのだとおっしゃいました。ガーマニ自身の田畑の考えになぞらえて言うので、たいへんわかりやすいです。

ガーマニの質問は、「ある人には丁寧に説法をし、ある人には丁寧に説法をしない」という内容でしたが、お釈迦さまの答えにそういう言葉はありません。つまり、お釈迦さまにとっては、説法の中身は関係なく平等だけれど、教えを説く順番があるということなのです。そして、皆に法を説くのだとおっしゃっています。

説法の仕方についても三段階で解説

お釈迦さまは、ガーマニとのやり取りで、説法の順番の話が終わったあとで、説法の仕方について説明しています。その説明には、田畑とは別なたとえを持ちだしています。「水瓶《がめ》［udaka-maṇika（ウダカマニカ）］」という、水を入れるものにたとえるのです。

お釈迦さまは、三つの水がめを持ち出します。これもグレードが三段階です。一つは、しっかりして立派な、微塵も漏れないもの。もう一つは、あちこちにちょっと割れ目があったりするもの。もう一つは、水が漏れるもの。この三つです。お釈迦さまはおっしゃいます。

「水を入れようと思うとき、この三つのなかだったら、どこに先に水を入れるでしょうか？　聞かれたらきっと、『立派な漏れないものに入れます』と答えるでしょう？　それでもまだ、もっと入れる水があったら、容器がちょっと壊れていても、二番目のものに入れておくでしょう？　それでもまだ水が残っているなら、『いくらか残るだろう』

と考えて、漏れるものにも水を入れておくでしょうね」

たとえるものは水がめに変わっていますが、田畑の例をベースにしているので、ガーマニにとって、とてもわかりやすい説明です。つまりここでお釈迦さまがおっしゃっているのは、このたとえのように誰にでも「初めよし、真ん中よし、終わりよしと説法をしています」[*1]ということです。これで、この話はおしまいです。

お釈迦さまは「お釈迦さま、あなたの説法の態度は少しおかしいでしょう?」と、不平等だと反論されたことに対して、「優先順位がありますよ」「結果をみながら喋りますよ」ということをユーモアで説明されたのです。[*2]

エピソード3「空き家の賢者という批判」

ニグローダという他宗教の師匠がいました。ニグローダには、財産を捨てて出家している三百人ほどの弟子たちがいました。

さて、仏教の有名な在家信者であったサンダーナが、あるときお釈迦さまに会うために家を出たのですが、その時間はお釈迦さまが禅定《ぜんじょう》*3に入って、静かにしていらっしゃる昼間だったため、時間をつぶそうと考えました。サンダーナは、お釈迦さまが弟子たちに会う時間がくるまで、ニグローダ師匠のところに寄ることにしました。

サンダーナが立ち寄ったとき、三百人の弟子たちは、いつものように大騒ぎしていました。ニグローダはサンダーナが訪ねてくるのを見て、弟子たちにこのように言いました。

*1
お釈迦さまの教えは、誰にでも分かりやすいところからはじめて、徐々に人間の理解能力を超えている解脱の境地まで語るものです。一般的には戒（道徳の話）、定（瞑想と精神統一の話）、慧（仏教の真理と解脱の話）という三つに分けています。しかし、どんなところを学んでも、その部分だけでも、見事に完成して説かれているので、お釈迦さま自身が、自分の教えは「初めよし（初めのところも幸福をもたらす善の教えです）、真ん中よし（説法の真ん中のところも幸福をもたらす善の教えです）、終わりよし（完全たる解脱を紹介する最後のところも善の教えである」と説かれます。要するに、「完全な教えです」という意味です。

*2
相応部六処篇聚落主相応7

*3 禅定
瞑想によって得られる心を統一した境地。

「みんな静かにしなさい。仏弟子として有名なサンダーナが来ます。彼ら仏弟子は静けさを好むのです。この大騒ぎを聞かれたら、恥ずかしいでしょう」

彼らと一通りの挨拶を交わしたあと、傍らに座ったサンダーナが「あなた方は、品のない世間話をして大騒ぎしていますが、お釈迦さまの弟子たちは、無駄話を一切やめ、沈黙を守って修行に励んでいますよ」と、言いました。

批判されたことが気に障ったのでしょう。ニグローダが「お釈迦さまの智慧は、人がいないところで発揮するものでしょう。それでは空き家の賢者です。大勢の人々が集まったところでは、お釈迦さまはなにも語ることはできないでしょう。もし、このようなところにお釈迦さまがいらっしゃるなら、私はたった一つの質問で、お釈迦さまを黙らせることができますよ」と言い放ちました。

この自慢話を他心通*で聞いたお釈迦さまが、すぐその場に現れました。

「あなた方は、いまなにを話していたのですか?」とおたずねになりました。ニグローダの弟子たちは、「その話よりも、お釈迦さまがこのようなところにいらっしゃるのは滅多にないことなので、お釈迦さまがどのような教えに基づいて弟子たちを戒めているのか、われわれにも教えてくださいませんか」と頼みました。

するとお釈迦さまは、「私の弟子たちがどのように修行して精神的に落ち着いているのかということは、あなた方の理解の範囲を超えています。ですからあなた方の教えに基づいて、お話ししましょう。あなた方の教えについて知りたいことがあるならば、私に聞いてみたらいかがでしょうか」とお答えになったのです。

ニグローダの弟子たちは、びっくり仰天しました。

「お釈迦さまの力は、自信は、とてつもないものだ。私たちの開祖様の前で、開祖様の教えについての疑問に答えようとするとは！」というわけです。

ニグローダが、自分たちが行っている苦行について説明しました。するとお釈迦さま

＊他心通
他者のこころを知る神通。

が、「その苦行はどのようにすれば完成するのか知っているのですか?」とおたずねになります。しかしそれについては知らないというので、お釈迦さまは苦行が完成する方法を教えてあげました。

しかし最後に、オチとして、「この苦行はそのようにすれば完成はします。しかし、修行自体は、進むどころか、遅れるのですよ」と、おっしゃったのです。さらに、苦行を行うとどのようにこころが汚れるのか、どのように修行すればこころが汚れない苦行になるのか、詳しく明確に説明しました。

ニグローダの弟子たちは苦行の完成を聞いただけでも、「お釈迦さまは私たちの開祖様よりも、なんとまぁ、よく知ってる」と、感動しました。さらに汚れた苦行、汚れない苦行の話は、ニグローダのまったく知らない話でした。

ニグローダの弟子たちは、「お釈迦さまは、いま説かれた汚れない苦行をお弟子さんたちに教えているのでしょうか? これがお釈迦さまの教えの最終目的でしょうか?」とたずねました。お釈迦さまはお答えになります。

「ちがいます。私は汚れていない苦行より、遥かに超越している解脱について語っています」とお話しになりました。それから、とてもわかりやすく仏教の教えと、煩悩をなくす過程と、解脱について、順番に説明してあげました。清らかな苦行についての話からあとのお釈迦さまの言葉のすべては、ニグローダの知らないことです。ですから誰もなにも言えなくなって、みんな黙りこんでしまいました。

そのとき、サンダーナが、先ほどの「一つの質問でお釈迦さまを黙らせてみせる」と言っていたニグローダの話を持ち出しました。

「皆さんの前で、お釈迦さまご本人がいらっしゃいますから、どうぞ遠慮なく、一つの質問で、あるいは複数の質問でもよいですから、どうぞ黙らせてみてください」

そう言われてニグローダは、恥ずかしくてたまらなくなりました。すぐ自分の失言を認めて謝りました。

それからお釈迦さまはニグローダと弟子たちを戒めることにしました。お釈迦さまは、おたずねになりました。

「あなた方の先達の先生方は、世間話で時間を無駄にしたでしょうか？　昔の弟子たちは、いまのあなたの弟子たちと同じく無駄話で時間を無駄にしたでしょうか？」

ニグローダは「そんなことはありません」と答えます。それを聞いてお釈迦さまは、「それなら、森に入って一切の無駄話と、無駄な思考をやめてこころを清らかにする修行者のことを軽視する権利が、あなた方にあると思いますか？」と優しく切り返したのです。

ニグローダはそのとき、「お釈迦さまの教えを実践すると、修行の完成までに、どれほど時間がかかるのでしょうか？」と質問しました。それまでに、あまりにも自分の理解の範囲を超えたことを言われたため、「お釈迦さまのもとでの修行など、とても自分たちにできっこないだろう」と思ったのです。お釈迦さまは、お答えになります。

「正直な気持ちで来てください。私は指導します。七年以内で完全たる解脱に達します。いいえ、七年もかかりません。六年以内で悟りに達します。いや、もっとかからないでしょう……」、お釈迦さまは、このように修行にかかる時間をどんどん短くしていき、最後には「二週間で悟れますよ」と約束なさいました。

「どうですか？　誰か私のところで修行してみようという人はいますか？」

しかし、誰一人として手をあげませんでした。

結果が出なくてもクヨクヨしない

これは、お釈迦さまとしては、あり得ない失敗のエピソードでもあります。お釈迦さまは、ニグローダと弟子たちの修行をする気持ちを引き起こすために、いろいろ優しく、丁寧にお話しされています。「あなた方は自分の師匠をいままで通りに、師匠にしてくださざい。私の弟子になる必要はありません。私の戒律を守ると悪を犯すことになるのではと、心配しないでください。自分たちの戒律で結構です。私には師匠になるつもりも、弟子を獲得するつもりも、あなた方を悪に導くつもりも、ありません。たった二週間だけ、教えが正しいのかどうか、確かめてみてください」と、呼びかけたのです。しかし、誰一人として修行する気は起こしませんでした。

ニグローダとその弟子たちは、いわば自分たちの行為の結果を出したのです。お釈迦さまは、たいへんな域に達していてもまだなお何年もかけて修行していらっしゃいます。ニグローダと弟子たちは、自分たちの修行の完成する方法さえも知らず、時間を無駄に過ごしているにもかかわらず、立派なお釈迦さまに対して「空き家の賢者」とけなしました。彼らは結局その行いに応じた答え、つまり「真理を求める道へと続く修行はしません」という結論を彼らは出しました。

お釈迦さまにとっては、長い時間をかけて説法したのに、結果はむなしいものでした。「財産を捨てて、一生修行するつもりで出家しているこの人たちにとって、たった二週間だけの修行などなんのこともないだろうに。この人たちは真理を知りたいという気持ちを起こしませんでした。愚かな人たちだ」とお思いになりました。お釈迦さまにしてみれば「やれやれ、時間の無駄だ」という感想です。しかし、そのことにとらわれることはありませんでした。明るさだけがありました。*

理性を第一と考える仏教

ここで少し、仏教の世界について解説しておきます。

仏教は、感情でもなく、信仰でもなく、拝むことでもなく、「理性がまず第一」という態度をとります。たとえば、お釈迦さまを拝んでもよいのですが、拝む際にも「こういう素晴らしいことを教えてくださって、感謝します」という理性がなにより大事です。仏教の教えを理解し、納得して、お釈迦さまを拝むことならよいのです。私も仏像に手を合わせて拝みますが、それは仏像を拝むことではなく偉大なる師匠として、自分を導く指導者としてお釈迦さまを拝むことであり、お釈迦さまに礼をすることなのです。

仏教徒は仏像を拝んでいても、それはお釈迦さまを拝んでいるのであって、仏像を拝んでいるのではありません。偶像崇拝ではないのです。「人がつくった像にはなにか不

＊長部25ウドゥンバリカシーハナーダ経（Digha-nikāya25. Udumbarikasīhanāda-suttanta）

思議な力があって、ご利益を与えてくれる」などとは決して思いません。偉大なる師匠を尊敬する人はその教えによって、偉大なる師匠の弟子として、気持ちが明るくなります。勇気がわいてきます。

仏教は、情緒的なものに対しては、一部善いところ、一部悪いところ、と、厳密にみて、善いところだけ採用します。たとえば、すべての生命は平等だとみる気持ちや、人を心配する気持ち、誰のこともよくなってほしいと願う気持ち、皆が仲良くしてほしいと願う気持ちなど、情緒的な気持ちにも、善い方向のものはたくさんあります。あるいは、若い夫婦が子供と楽しそうに遊んでいるところをみて「なんて美しいのでしょう」と感じるような、そんな情緒は「善いもの」として取り入れます。

しかし、怒り、嫉妬、自我などが入っている情緒は、要注意です。自我による情緒から「とにかくやれ！」「戦おうではないか！」「がんばろう、ファイト！」などと、相手を思いやらずに言ったとすると、それらは怒りにつながりますから、よくありません。

仏教では、あくまでも理性が基本です。あまり情緒的にならないよう気をつけます。

なぜかというと、情緒的になりすぎると、理性は一欠片もなくなるからです。それは危ないので、中道を保つのです。

情緒は危険といっても、善いものは取り入れますし、感情も、「慈悲喜捨」の感情はOKです。一切の生命を憐れむ感情は、積極的に推薦しています。

悪い感情は、感情では治せない

どうして情緒的・感情的なものがよくないのか、そこに理性がないのか、わかりやすい例で説明しましょう。皆さん、経験があると思うのですが、女性はときどき、「あの人のこと、どうも大嫌い」と言ったりするでしょう？「どうして、あなたはあの人が嫌いなんですか？」と聞いても「嫌いだから、とにかく嫌いなのよ」という感じで、男性にはさっぱり理屈がわからなかったりします。「虫が好かない」というやつですね。

男性は、はっきり理由を言うのです。「あのとき、こうで、こうだから嫌いなんです」と。対して女性は、理屈より先に「嫌い」という感情が生まれて、嫌いになるわけです。

ですから、理由を聞かれても説明できません。これのどこが問題かというと、「じゃあ、人を嫌いでいるのはよくないから治そう」としても、できない点なのです。理屈であれば、たとえ屁理屈でも、理屈を崩せば治りますが、理屈にならない気持ちだけですと、治す糸口がありません。

たとえばある人が、誰かに腹を立てていても、あるとき「え？　そんなつもりじゃなかったのです。でも、ご迷惑をかけたのなら申し訳ありませんでした」と相手に言われたら、それで気がおさまって仲直りできるでしょう？　悪い感情は、理屈で、理性で治せます。

宗教の世界でも、他宗教の話を聞いたり、本を読むことはいけないと禁止している宗派があります。それは、理性に鍵をかけるのです。たとえば、トルコでは英語の書物はほとんど翻訳されないそうです。そうやって、自国の感情、信仰を貫こうとして、理性にブロックをかけます。狭い領域にとどまらせようとします。

仏教はまったく反対です。「なんでもオープンにしなさい」という態度をとります。

いまの時代は仏教にもいろいろありますが、本来のお釈迦さまの仏教は、理性を本当に大事にします。

第6章

智慧が現れる屁理屈の壊し方

エピソード4「お笑い芸は尊い仕事？」

ターラプタ〔Tālapuṭa〕というお笑い芸人（喋ったり踊ったりして人々を笑わす職業の人）が、お釈迦さまに質問をしました。

「お釈迦さま、どうぞ教えてください。私は、師匠たちから、嘘でも、本当のことでも、なんでもいいから、とにかく喋って、踊って、舞台で人を笑わせなさいと教えられました。それは尊い行為で、お笑い芸人は『笑起（笑喜）天〔pahāsa（パハーサ）〕』という天国に生まれ変わると教わりましたが、本当ですか？」

お釈迦さまは天国のことをすべて知っていました。ですから、ターラプタは、お釈迦さまに確かめたかったのです。お釈迦さまは、

「あのね、ターラプタ、その質問はやめてくれますか？」と言いました。
しかしターラプタは
「お釈迦さま、でも自分の家では、先生たちがそう教えてくれるのです。私は本当にパハーサ（笑起天）という天国があるのかどうか、知りたいのです」と食い下がります。
すると、お釈迦さまは二回目も
「ターラプタ、その質問はよしてくださいよ。別なことを聞いてください」とおっしゃって、答えようとしません。
ターラプタはあきらめませんでした。三回目にも、また同じ質問をしました。三回目にお釈迦さまは
「あなたは私を放っておいてくれませんね。二回も『やめましょう』と言ったでしょう？　それなのに、あなたは三回目も質問しました」と、とうとうお答えになりました。
お釈迦さまの答えは、実にきびしいものでした。
「私は笑起天という天国は知りません。しかし笑起獄という苦しみにあふれた不幸な境

地があることを知っています」とおっしゃいました。

「あなた方お笑い芸人の人々には、欲があって、怒りがあって、無知があります。また相手の欲や、怒りや、悲しみや、あれやこれやと感情を引き起こして、舞台でありもしない芸をしています。このように人のこころを汚すから、死後、笑起獄に落ちて苦しんでいる芸人のことなら知っています」そうお釈迦さまはおっしゃいます。

美味しそうな食べ物を見たときに、それを「食べたい」と思うのはどうしようもないことですが、芸人のセンスでものすごく美味しそうにラーメン（これは日本の例ですが）、を食べているように演じると、見ているだけで観客はラーメンが食べたくなります。本当は食欲がないのに、「余計に食べたい」という食欲を引き起こします。

「芸人さんがやっていることは、ただのスクリーン上や舞台上で、みんなのこころのなかの欲や怒り、その他いろいろな感情を引き起こすことでしょう？　舞台の上でやっていることはぜんぶ演技でしょう？　裏では自分の出番がくるまでびくびくしながらじっと待っていたり、いきなり出ていってキャーと一気に嬌声をあげたり、ときには緊張して失敗したりもする、そりゃたいへんな仕事ではあるでしょうけれど、悪行為です」

これが、お釈迦さまの答えだったのです。

特別な天国なんてありません

この話を詳しく説明しましょう。これは、お釈迦さまが竹林精舎《ちくりんしょうじゃ》に住んでいたときに受けた質問でした。

タープラプタは、代々芸人の家に育ちました。父親が師匠となって先祖代々、伝統的に同じ職業を継いでいます。タープラプタの父親は修行の際に、「人を笑わせることは尊いことですから、なんとしてでも笑わせなくてはいけません。そして、尊いことをするお笑い芸人には特別な天国があります」とタープラプタに言い聞かせていたのですね。その特別な天国とは「笑いを起こす天」という意味の、「笑起天」というところです。

テロ行為をしている人々も「この行いによって特別な天国が用意されている」と信じ込んでいるというような話があります。そう教えられ、皆がその特別な特等席をねらって人を殺すのです。五～六人殺して天国の特等席だったら、何万人単位で殺した人々は、もっとすごい神様の傍にでもいるのでしょうね。

ヒトラーも神の名のもとに人を殺しましたし、ブッシュ大統領も「神の望み」と、あちこちで戦争をしたし、いまもしています。私は、神にはなりたくありません。ヒトラーやムッソリーニ、ビンラディンなどが傍にいるなんて、私は嫌です。神様はよい仲間がいて、さぞかし楽しいでしょうね。

人間というのはなにを言っているのか、まったくもってちんぷんかんぷんなことを平気で言います。仏教からみたら、笑い話にもなりません。神の名のもとに人を殺して、どれほど人を不幸に陥れていることでしょう。滑稽なことに、人間は、自分たちの屁理屈がさっぱりわかっていないのです。そんな人たちに対して、私たちは「なにバカなことを言ってるんですか」などと言います。しかし、お釈迦さまはそういう人たちにも自然と智慧が現れるように導きます。ターラプタにも、きちんと、わかりやすく、説明しています。

「笑う天国」と「笑われる地獄」

結論としてお釈迦さまがおっしゃったのは、「芸人さんがしていることは悪行為ですよ」ということでした。そして「あなた方は、人のこころを汚すのですよ」「人のこころを汚して天国に行ける、そんな天国は私は知りません」「その代わりにパハーサという同じ名前の地獄があって、みんな、その地獄に落ちるのですよ」ということでした。

この「パハーサ」というのは、ちょっとした言葉の遊びがあります。最初のパハーサは「笑う天国」という意味ですが、あとのほうのは「笑われる地獄」なのです。いわゆる、「侮辱される」という意味です。同じ単語で、意味が反対になっています。そういうダジャレも盛り込まれています。

さて、「パハーサという天国ではなくて、パハーサという地獄ならあります」と、お釈迦さまに言われたタープラプタは、どうなったでしょうか？　いきなり泣き崩れて、いても立ってもいられない状態になりました。それはそうでしょう。長いあいだ、天国に行けると信じて頑張っていたのに、「天国ではなくてそこは地獄です」と言われたのですから。

お釈迦さまは本当のことを知っているので、嘘をおっしゃいません。聞かれたら、はっきりと「パハーサという天国はありません。そんな天国は知りませんが、同じ名前の地獄はあります。そして、そこに行きます」と答えざるを得ません。ですから、「質問しないでください」と最初に言っていたのです。三回も聞かれたので仕方なくガツンと答えましたが、本当は答えたくありませんでした。

泣いているタープタを心配したお釈迦さまが

「あなた、『質問しないでください』と私は繰り返し言ったでしょう？　ここまで聞いたのはあなたの間違いですよ」と、声をかけました。

すると、タープタは

「いいえ、お釈迦さま。私はお釈迦さまのおっしゃったことには、まったく泣いていないのです」と言います。

「お釈迦さまが言ったことは、ぜんぜん気にしていませんが、私は、私の師匠たちがどれほど私を騙してきたのかということで泣いているのです。いままで騙されて、嘘をつかれていました。ですが、お釈迦さまに会ってやっと本当のことがわかりました。もう二度とあんな汚いことはしません」と言って、「私は出家します」と決め、すぐ出家しました。

本当のことを教えられ、悟りの道へ

おそらく、タープタは、もとから嫌々、芸人をしていたのでしょう。だからこそ父親はきびしく「これはよいことなのだ」「天国に行く行為なのだ」「やりましょう、やるべきだ」と、教育していたのでしょう。とくに芸人の子どもたちというのは、生活がすごくきびしいのです。遊ぶ暇はないし、ものすごく稽古をしなくてはいけないし、暗記することもいっぱいあります。

タープタは、芸人の暮らしが嫌でしたが、家の仕事だから頑張って続けていたのです。しかしお釈迦さまに本当のことを言われ、父親のことを怒って泣きました。おじいさんのことを怒って泣きました。父親に、おじいさんに、師匠たちに騙されてきたのが悔しかったのです。「人を笑わせるために、私はどんなに苦労をしたことか！」と嘆き、「いますぐ、出家します」と出家します。後に瞑想して解脱にも達しています。[*1]

エピソード5「全知全能の神、創造論の否定」

人が経験する一切の感覚、苦であろうが、楽であろうが、不苦不楽であろうが、すべてが神の創造により生じるのだと説く人がいます。それなら、殺生、偸盗などの十悪も、邪見も神の創造でしょう。「創造論［issaranimmāna］（イッサラニンマーナ）」を言っただけで、もう一切の道徳がなくなります。

［Issaranimmānaṃ kho pana bhikkhave sārato paccāgacchataṃ na hoti chando vā vāyāmo vā idaṃ vā karaṇīyaṃ idaṃ vā akaraṇīyan ti.］[*2]

どんな犯罪も神の仕業だなんて、あり得ない

「全知全能の神様がこの世を創造された」という創造論は、お釈迦さまの時代にすでにありました。いまの時代も続いていますね。では、全知全能の神に対し、お釈迦さまはどう考えているのかというのが、この「全知全能の神、創造論の否定」です。このユーモアは少しわかりにくいかも知れませんが、全知全能の神という存在に対し、画期的なまでに面白く、切り捨てています。

現代の日本語調に訳せば、「この世に全知全能の神がいて、すべてその神がしているのなら、世の中のすべてのことは全知全能の神の仕業になります。人が人を殺す、戦争

＊１　相応部六処篇聚落主相応２
＊２　増支部三集61

をする、盗む、インサイダー取引をする、収賄《しゅうわい》問題、自衛隊がゴルフに興じたり、漁船を壊したり……、それはすべて神様がしていることになります」という感じでしょうか。

日本で頻繁に起こる凶悪犯罪と言われる事件がありますね。出会い系サイトで知り合って、行方不明になっていのちがない状態で発見されたとか、通りがかりの人を無差別に殺してしまうとか……。そのときに全知全能の神を持ち出すと、「全知全能の神様がしたことですから、気にしないでください。人を殺したからといって、悪いことをしたと思わないでください」ということになりますよ、とお釈迦さまはおっしゃっています。

いかにシンプルに、お釈迦さまが全知全能の神をバカにしているかがわかるでしょう。「すべては全知全能の神の仕業ですって？　そんな話は成り立ちませんよ」と、ストレートに結論づけています。しかし、全知全能の神の存在を証明しようと、人々はどれほど苦労していることでしょう。キリスト教の知識人はいまだに神の存在を証明しようと頑張っていますが、ないものはいくら頑張っても証明できるわけがありません。

神を証明しようとやっきになると、病気を治すだとか、いろいろな迷信に引っかかります。前のローマ教皇はすごく迷信に凝り固まっていました。祈りで病気が治ると言い、聖人たちを拝んだりして、なんとか「神の力がある」と証明しようと試みていました。神の存在は証明できないのですから、迷信にすがらないとならなくなるのです。しかし、迷信のほうでも神を否定しているようですが。

全知全能の神の問題を、お釈迦さまはユーモアを含んだ調子であっさり説いて終わらせています。あまり問題にしません。

「全知全能の神がいる」と言ったら、殺生をしても、しなくてもいい、盗んでも、盗まなくてもいい。その気になったら、あちこちで好き勝手に女性を犯しても、それは神がそうさせているのだから構いません、ということになります。爆弾を仕掛けたくなったら、どうぞ構いません、罪はありませんという話になってしまいます。ですから、「そんなものは宗教にならない」と、お釈迦さまはユーモアを交えながらもきびしい態度をとります。

「『イッサラ　ニンマーナ（創造論）』を信じると、人は努力する必要がなくなります。これはするべきこと、これはしてはいけないことと、きちんと理解して、皆が一人ひとり、頑張る必要がなくなるのだ」と指摘します。

全知全能の神を持ち出す宗教の邪見

全知全能の神の問題は、いま現在も続いています。たとえば、日本の仏教では全知全能の神様の代わりに「阿弥陀様」を設定しているでしょう？　日本の皆さんは、浄土系の宗派には馴染みがありますね。念仏を唱えればよいのです。なんだかとってもやりやすいでしょう？　躾《しつけ》はないのです。「善人でさえも救われます」と、親鸞聖人の言葉として伝えられているそうですね。その言葉が本当なら、善行為をするのは、よほど悪いことのようです。ふつう「悪人でさえも救われます」と言いますが、それをわざと「念仏を唱えれば、善人でさえも救われます」と言ったのですからね。

「南無阿弥陀仏」と言えば大丈夫、終わりです。あとはなにもしなくてよいのです。もう永久的に天国です。天国というより、大乗仏典で説かれているどこかよいところに行くのだそうです。

でも、ちょっと考えてもわかるでしょう？　そんなのはあり得ない嘘です。なぜなら、その唱えるだけでこころがきれいになるはずがないですから。たとえば、死んでから、その遺体の前でお坊さんがお経をあげると成仏すると言われたら、どう思いますか？　おかしいに決まっているでしょう。善も悪もこころに起こるものです。お経だけで成仏できるでしょうか。できるわけがないのです。

生きている人々は、意味がわからなくてもこころを込めてお経を唱えると、精神的に落ち着く可能性があります。意味を理解して唱えるなら、さらに真理に対する理解を深めたり、善行為をするための励みになったりするのです。しかし、理性を無にして神話的な作り話で人を感動させるねらいで作成した〝経典〟と名乗っているものを唱えても、効果があるのかは疑問です。生きていない物体の前でお経をあげてその物体のかつての持ち主を成仏させるという話は理性に欠けています。きびしいことを言うようですが、きわめて邪見なのです。お釈迦さまの教えを実践する人々は、そういうことには惑わされません。

「唱えれば大丈夫」などというのは、間違っている意見・邪見です。邪見を持つとどこに行くのかと、お釈迦さまに聞いてみてください。ジャイナ教徒のガーマニの話のところで紹介しました。（エピソード２―１）邪見は危険なのです。

意見へのしがみつきは危険

付け加えておきますが、親鸞聖人を信仰したり、念仏を唱えることを、本来の仏教は百パーセント否定するわけではありません。もし、それらを唱えてこころが穏やかになって、怒り、憎しみ、嫉妬などが静まって明るいこころになるなら、それでもよいのです。

しかし、ある意見や、ある方法などにしがみつくとすると、それは危ないのです。「唱えると楽しくなるから唱えよう」くらいならよいのですが、「これこそ最高の方法だ」「これでなくてはだめだ」「絶対によいからあなたもやりなさいよ」などとなってくると、危険です。邪見であるということもよくありませんが、なによりも、こころが汚れてしまうのです。

生きるうえでなによりも気をつけたいのは「こころが汚れないこと」です。なぜかというと、われわれはこころが汚れると、ものすごく不幸になるからです。どんな意見でも、それにしがみつくことはこころの汚れの大きなポイントになります。それに、どんな意見も無常ですから執着には値しません。

仏教が「こころが清らかであるべき」と言うのは、意見にしがみついて言っているわけではなく、経験からくる教えです。こころが暗いと不幸になり、こころが明るい場合は、けっこう人生はうまくいきます。ですから、つねに明るいこころで生きるのがいちばんですよ、ということです。

人がどうして、いつも明るいこころでいることができないのかといえば、人間には「ちょっとしたことで、すぐこころが暗くなってしまう」という弱点があるからです。

「その弱点は、仏教で治せますよ」というのが、お釈迦さまのおっしゃっていることです。

現実的に生き抜く力こそ必要

私たちが生きているこの世の中で、やるべきこととはなんでしょう？　どうすれば怒りを抑えられるのか、どうすれば嫉妬を抑えられるのか、どうすれば相手を憎まなくてすむのか、どうすれば仲良くできるのか、必要なのは、そういうことではないでしょうか。いじめられても、それに耐えられる精神をどうやってつくるか、経済状況が悪化しても、とにかく持ちこたえるためにはどうすればよいか、そんな現実的に生き抜くための力です。

家族のなかで子どもが病気になる、不良になる、そういうときでもなんとか上手く解決する精神的な力、落ち着き、智慧、能力など、必要なのはそれらを育てる方法です。それなのに、「唱えればすべてＯＫ」で、それらは要らないというのは、おかしいでしょう?

お釈迦さまは創造論を否定なさいます。つまりそれは、一切の創造論まがいのものが否定されるということです。

エピソード6「人に自由意思はあるのか」

あるとき、あるバラモンが来て、お釈迦さまにこう言いました。

「私は人に自由意志があるとは思いません。また、他の意志で生きているとも思いません」

と。お釈迦さまは、バラモンの質問に答えておっしゃいました。

「あなたは、自分で歩きながら、座りながら、なにを言っているのですか?」*

＊増支部六集38

一生涯の研究を一笑に付したお釈迦さま

バラモンが言っているのは「生命に対する、自作・他作論の否定」という、インド哲学のたいへん難しいポイントです。このバラモンは、かなり調べたうえで「自由意志はない」と言っています。

たとえば、お腹が空くときは勝手に空くでしょう？　皆さん、自分の好き勝手にお腹を空かせたり、満腹にしたりできますか？　自由に「いまは、お腹を空かせないようにしよう」なんて、できませんね。それに、お腹が空いたら食べなくてはいけないでしょう。自由があると思いますか？　そう考えると、このバラモンの言うことに、「なるほど！」と思ったりもするでしょう。さらに、お腹が空いてなにか食べようというとき、好き勝手に食べるでしょうか。すぐ近くにあるから、この石ころを拾って食べようとか、道路にある雑草を取って食べようと自由にできますか？　自由はまるでありません。食べられるもののなかから、なにかを選ばなくてはならないのです。キャベツは食べられますが、枯れ葉は食べることができません。

病気も同様でしょう。なりたくありませんが、勝手に病気になります。そこで「あぁ、人には自由意志がまるでない」と思います。若い男たちは恋をしますが、それは若い女の子に恋をするのであって、カラスには恋をしませんし、猫にも恋はしません。ここにも自由はないのです。そこら辺にある電信柱を見て、「あなたのことが大好きだ」と言えればいいのに、言いません。女性にしてもたくさんいるのに、ある一人を好きになってねらいます。友達が「あの女の人より、この女の人がいいよ」とアドバイスしても、聞き入れることはできません。自分が好きになった人にアプローチします。ですから、そういうことを考えると、人には自由意志がないようにみえます。

このバラモンは、さらに逆の、誰か神様みたいな他人が、ぜんぶ自分を管理しているということについても、認めません。ですから、人の運命は自作でも他作でもないという、自分の深い哲学なのです。一生をつかって研究をしたことでしょう。

しかし、お釈迦さまは、バラモンが一生をかけた研究を一瞬で終わらせます。「だって、自分で座るでしょう？　誰かが座らせたわけではないでしょう？　あなたはなにを言っているのですか」というわけです。その人の一生の哲学は、お釈迦さまのたった一言で消えてしまいました。

お釈迦さまは、この答えより前に、最初に冗談をおっしゃっています。まず、「私は、このような哲学思想というのは聞いたこともない」と笑ったのです。お釈迦さまは、ものすごい知識人でもあったし、インドの思想・哲学・宗教は知り尽くしておられました。バラモン人とは比較できないほどです。そういうお釈迦さまが「そういう考え方は聞いたことがない」と、まずからかいます。「聞いたこともない」とおっしゃってから、「自分で歩きながら、自分で座りながら、よく言いますねぇ」と、バラモンの意見を破っています。

偉大な説も真理を前に露と消える

お釈迦さまの笑いは、品格のある、有意義な、役に立つユーモアです。もちろん下ネタはありません。いまの時代のギャグなどとはちがって品格が高すぎるので、読んでいてもストレートな笑いにはならないかもしれません。しかし、お釈迦さまは世間で確立されたようなすごい哲学に対して、一言で笑ってみせます。その一言で、同時に何人もの人が人生をかけるくらい真剣に練った哲学が潰れているのです。これは、すごいユーモアです。

この世の中の九十パーセントくらいの人は神様を信仰しているでしょう。それに、世の中には科学者もいるし、哲学者もいるし、偉大な人もいっぱいいます。そんな世間の「すごい」とされるものは、お釈迦さまの一言で切って捨てられます。ユーモアとともに、真理の前に露と消えます。

第7章

ユーモアは病も治す

エピソード7「どうぞ安心して死んでください」

あるとき、ナクラ夫妻の夫が病で倒れました。妻はこのように励まします。

「あなた、未練を残したまま死んではなりませんよ。そのような死に方は不幸に陥ると、お釈迦さまが忠告しています」

奥さんは、旦那さんに、丁寧に説明します。

「あなたは自分が死んだら、私が困ると思っているでしょう？　ですが私は機織りなどの仕事は上手です。糸を作ることもできます。いろんな作業ができます。家を守って、子どもを養うことも、私にできます。ですから、どうぞ心配しないでください」

またこうも言います。

「あなたが死んだら、私が再婚するだろうと心配していますか？　いいえ心配いりません。あなたも私も十六年間、梵行《ぼんぎょう》（性行為をやめていること）を守っているでしょう？ですから、再婚の気持ちは微塵もありません」

さらにこう言います。

「あなたがいなくなったら、お釈迦さまに、サンガに、私は会いに行くことをやめるだろうと心配しているでしょう？　心配いりません。あなたが亡くなったら、かえってたくさん時間があります。いまよりも何回も頻繁に、お釈迦さまやサンガに会うことができます」

旦那さんの病気は、たちまち治りました。*

＊増支部六集16

「早く死んでください」と言われて治った

これは、在家の仏教徒の夫婦の話です。お釈迦さまの時代は、出家までするつもりはなかったものの、在家としてまじめに修行する、かなりすごい人たちがいました。なかでもナクラ夫妻というおしどり夫婦は有名でした。先に挙げたのは、夫が死にそうになったときに妻が言った言葉です。

この冗談がわかりますか？　奥さんはふつうなら「なんとか早く治ってください」「なんとか生きながらえてください」「私や子どもを残して死なないでください」などと泣いて頼むような状況なのに、ナクラ夫妻の奥さんは「死ぬならその死に方はだめよ」「心配はいらないから、未練なく死んでください」と言っています。

ナクラ夫妻がどれほど仲がよかったのかというと、こんなエピソードがあります。すごく歳をとったころに夫が「この人は私と十六歳で結婚しました。そしていままで私の気に入らないことは一つもしたことがないのです。表でも、隠れてでも、私のいないときでも私の気に入らない言葉をかけたことがまったくないのです」というほどでした。奥さんも「私はいきなり家から、この人のところに連れてこられたのですが、その日からこの人は私の気に障ることは一つもしたことがないのです」と、言っていました。

それなのに、病気になって倒れた夫に、「私は大丈夫だから死んでいいですよ」と、奥さんが言うのです。そして「未練があって死んではいけない」と、死に方を教えてあげています。

まず、家計の心配はいらないと言います。次に再婚する心配もないと言います。仏教徒になって十六年も瞑想などをしていて、夫婦はすごく仲良しですが、それ以上の関係はないのです。十六年間もあなたと一緒にいながら、私はなんの欲も出していないのですから、再婚するのはあり得ないと、奥さんが言っています。また、お釈迦さまやサンガに会い、説法を聞きに行くときは夫婦そろって行っていました。自分が死ぬと奥さんは一人では行けないのではないかと、旦那さんが心配するかもしれないのです。それに対しても奥さんは、「心配いりませんよ」と言っています。

奥さんが死にそうな旦那さんに言ったことは、もっといっぱいあります。これだけで終わったわけではありませんでした。しかし、まぁ、こんな感じで、夫が心配しそうなことを、一つひとつピックアップしていって「心配いりません」と言ってあげました。そして、この話の結論は、「このように、『早く死んでも結構ですよ』と言われたら、夫の病気はたちまち治ります」ということです。

「死んでいい」は、悟りの域から出た言葉

「早く死んでいいですよ」と言われて、夫の病気が治るという理屈は、世間一般の方にはなかなかわからないと思います。

この話で最後に奥さんが言ったことは、「あなたは、あまり私が仏教を理解していないと思っているでしょう？　自分がいないと、お釈迦さまの教えはあぁだこうだとお互いに話し合う相手もいないと、あなたは心配するでしょう？　しかし、私は仏教をほとんど理解して、自分のものにしているのです」ということでした。つまり、いわゆる悟

りに達しているという話なのです。

「もし心配なら、私の理解についてお釈迦さまにうかがってみたらどうですか？　かならずお釈迦さまは、私に対して『この娘さんは仏教を経験している』と太鼓判を押してくれますよ」

というふうに、悟りについて保証する項目がたくさんあります。

なぜ夫の病気が治ったのかというと、奥さんの態度によって「あぁ、なるほど！　これこそ仏教だ」とわかったために、旦那さんのこころがいきなり究極に清らかになったからです。こころが究極に清らかになったことで、その人の病気が一欠片もなくなって治るのです。

夫のこころを清らかにした奥さんの態度こそ、仏教のものです。夫婦に限らず、どんな生命にも言えることですが、なにに対しても執着があるとよくありません。それ以前に執着はあり得ないし、成り立ちませんというのが仏教です。その認識でいけば、旦那さんが治っても、奥さんとしては「まぁ、治ってよかったんじゃない？」ということです。逆に旦那さんが死んでしまっても「まぁ、死ぬときだったということで、いいんじゃない?」という調子になるのです。奥さんにとっては「どちらでもいい。どっちでも、まぁ、いいんじゃないの」ということです。

ですから、病気で倒れた人に「心配しないで早く死んでよ」と言うのは、仏教の人以外にできるものではありません。「迷惑だから、早く死んで」という意味ではありません。レベルの高い考え方なのです。実行できる人は偉大な人です。この考えを理解したら、すぐ病気は治ります。

死ぬ準備、できてる?

ナクラ夫妻の旦那さんは倒れて死にそうなくらいでしたから、死ななかったといっても、直後はまだまだ身体は十分ではありませんでした。しかし、杖をついて、なんとかお釈迦さまのところへ行ったのです。行って、奥さんのことを話しました。「うちのは、私が倒れて本当に死にかけていたそのとき、こんなことを言いました」と、報告します。お釈迦さまはなんとおっしゃったでしょうか？「いい奥さんでよかったね」とおっしゃって、旦那さんは「そのとおりです」と返事をするのです。

ナクラ夫妻は、仏教では理想的な夫婦関係とされているケースです。ちょっと、皆さんには無理でしょう？　しかし、お釈迦さまの時代は、このナクラ夫妻の例でわかるように在家の方々も並大抵ではありませんでした。

たとえば、本当に病気ですごく調子が悪い人に対して、「もう準備はできた？」と聞いたりします。なんの準備かというと、もちろん死ぬ準備です。平気でなんのことはなく、聞きます。冗談ではありません。まじめに、しかし淡々と聞きます。そして聞くことは、仏教徒の患者さんに対して失礼でもなんでもないのです。

「あなた、死ぬ準備はできた？」と聞かれると、患者さんもにこっと笑ってしまいます。けっこう、それで治ります。しかし、正直に言わないと治りません。「あなたは本当に準備できているのですか？」とすごく真剣に聞くと、本人も「そうですね、やっぱり……」と、自分がしてきた善いことを思い出したりして、「いまからでもいいから、お布施でもしなくては」とか、息子たちをみんな呼んで「なにかお布施でもしてください」と言ったりして、元気を取り戻します。善行為への思いでこころがきれいになって、けっこう元気になるわけです。

このエピソードを紹介したのは、仏教ならどんな病気でも治してあげるよという、無意味な、非論理的なことを言うためではありません。お釈迦さまだけでなく、仏教徒たちもユーモアにあふれた生き方をしていたこと、そして、たとえ人が死にかけていてもユーモアのセンスは忘れていなかったことを証明したかったのです。

また、念のために言っておきますが、病気は、こころを清らかにすることで早く治るケースもあります。しかし、人は病気になって死ぬことは自然法則ですから、なんでもかんでも、こころを清らかにすれば治せると勘違いしてはいけません。不治の病にかかったら仏教徒はいとも簡単に身体に対する執着を捨てます。「では、さようなら」という気分になるのです。

明るく、こころ穏やかに亡くなる仏教徒

死ぬ準備ができる人というのは、死ぬときも美しいのです。とくに子どもたちのことに対しては、やっぱり家族でしょうし、親でしょうし、どうしたって感情が表に出てきます。スリランカでは昔から、それを言いたい放題、言い尽くすためにお寺のお坊さんを呼ぶという習慣があります。お坊さんに言いたいことを言って亡くなります。「これでぜんぶ言いましたから、思い残すことはありません」というこころで亡くなります。「息子たちは、あまり仏教に興味がない。お寺のことに参加しない。私はとても心配です」などということを、あれこれ言います。子どもたちは、最期に深い信頼関係のあるお坊さんにあれこれ言った親をみて、亡くなった途端、親が守ってきた伝統を守っていこうと思います。やっぱりお寺のことをしなくては、仏教のことをしなくては、と思います。そうして伝統はいままで伝わってきたのです。

私も、いろいろなおじいさん、おばあさんたちに臨終のときに呼ばれて行ったことが

あります。子どもたちが来て、「お母さんが倒れています。先生の名前を呼んでいます」とお呼びがかかるのです。

私を呼んでなにをするのかというと、病気のお母さんはにこっと笑って「お坊さん、私は準備ができているのです」「長いあいだ、いろいろ善行為をしてきて、もう十分です」「ですから、心配しないでください」などと言います。息子たち娘たちのそばにいると、子どもたちは母親を必死で治そうとして「この薬を飲んでください」「これを塗ってください」「病院に行きましょう」「お医者さんを呼びましょう」と、とにかくうるさくて、本人は安らげません。私が行くと、「準備はもうできていますよ」と言うので、私も「あぁ、そうですか。では、お経でもあげましょうか」と、ちょっとお経をあげたり、仏教の話をして帰ります。最期を迎える人々は、とても明るく、最期にこころを清らかにするために協力してくれた三宝*に別れの挨拶をして、本当にこころ穏やかに亡くなるのです。

しかし、これは「オチ」みたいですが、私が行ったら、たいてい亡くならないのです。

身体がボロボロでも私が行って喋ると、たちまち元気になります。それはそれで私としては心配です。それが果たしてよいのかどうかわかりませんし。

尊厳を考えたうえでの笑い

お釈迦さまのユーモアが発揮されたエピソードは、ほかにも、たくさんあります。たとえば「生きるのはたいへんです。ものごとが上手くいくよりは、失敗するケースの方が多いのです」などという、名フレーズもあります。この本では「笑い」について取りあげているので、ここでユーモアについて、大事な注意点をお話ししようと思います。

お釈迦さまは、「客観的にみると、なんでも面白く、おかしくみることができるのです」と、おっしゃいます。

※三宝
お釈迦さま「仏（ブッダ）」と、お釈迦さまが説かれた教え「法（ダンマ）」と、その教えを受けることで四向四果（悟りの段階）に達した者の集団である「僧（サンガ）」の三つ。この三つに帰依するのが仏教徒であるとする。

私はヴィパッサナー瞑想を教えてもいますが、「客観的にみなさい」「なにをみても面白いのだよ」ということを言っています。本当に、客観的にみると笑えるのです。なにかをみて「面白いなぁ」と思ったら、笑ってもよいのです。一人をからかってもよいのです。しかし、一つだけ気をつけてほしいことがあります。人のプライドだけは傷つけないでください、人間として「平等である」ということだけは忘れないでください、ということです。尊厳を大事に考えたうえでの笑いでなければなりません。

すべての生命は平等で尊い

そもそも「尊厳を大事にする」とはどういうことかというと、「皆、同じ生命で平等だと思う」ことです。たとえば部下を叱っても、「部下も自分も同じ人間」ということは外しません。皆が自分だと思えれば、自分に言って欲しくないことは相手に言わないでしょう？　あるいは自分が冗談を言われて面白く笑えて楽しかったら、今度はその冗談を相手を楽しませるために言います。なにも「尊厳」といっても、難しく考えることではありません。すべての生命は、生命として平等だと考えることなのです。

とっても侮辱した感じで「おまえバカだ」と罵れば、尊厳は傷つくでしょう。しかし、「おまえさん、そんなバカやってないで、もっとましなことしなさいよ」と朗らかに言えば、楽しい感じで受けとめられるでしょう。

私は、そういうやり方で子どもと接します。「今日だけでいいから静かにして」「今日だけ賢い子でいてくれる?」、そんなふうに対等の感じで言うと、かなり効き目があります。逆に「相手は子どもだから騒いでもいいや」と思うとだめです。子どもはしっかり覚えてしまいます。どうせ子どもはいろいろやるのがふつうですから、しっかり見ていてあげることが大事ですね。見ていてあげれば、それだけで伝わります。

とにかく、「相手をとっても慈しみなさい」ということです。躾をするときに、叱ったり、怒鳴ったりすることはよくありません。ふさわしいやり方というのがあるのです。そのやり方が尊厳です。やっぱり、「すべての生命は平等で尊いのだよ」というのが根本にあります。

上司や社長でも、部下でも、きょう会社へ入った新人でも、関係ありません。すべての人に、自分がやられたら嫌だと感じる態度はとらないし、自分が快く思える接し方で臨みます。たとえば、宅配便屋さんとのやり取りといったら、ほんの数十秒でしょうね。そのあいだでも、丁寧にコミュニケーションをすべきだというのが、仏教の考え方です。

時と場合も大事

先ほどのナクラ夫妻のエピソードに関して、死にかかっている人に、「準備はできましたか？」と言うのは尊厳を傷つけることになるのではないかと質問を受けたことがあります。しかし、そうではありません。

「もう死ぬ準備できた？」というのは、いわば内輪話です。仏教の世界で共通性のある考えのもと、朗らかに大事なポイントを質問しているのです。ですから、かなりの智慧のレベルがある人同士のやり取りといえます。

誰であっても死にます。死ぬ前にやるべきことは、死ぬ準備でしょう。結婚は、できるかどうかわからないのに準備します。長生きも、できるかどうかわからないのに準備します。しかし死ぬ準備だけは、なぜ皆、しないのでしょうね？　仏教では子どもにもはっきり言います。「誰でも死ぬのですから、先に死ぬ準備をするのですよ」と。私も小さい頃、さんざん母親に言われました。喧嘩をすると「そんなことやって、あなた、死ないつもりですか！」と、よく怒られました。仏教の世界では、死ぬ準備は大切な前提条件です。

余談になりますが、私が子どもの頃に、母親に叱られた思い出で、印象に残っているできごとがあります。ちょっと身体に障害のある人が、家に物乞いに来たときのことでした。まだ子どもだった私は、はじめて障害のある方をみてびっくりしました。少し身体の形がちがいましたからね。そして母親に「お母さん、変な人が来ているよ」と言いました。それで母親が外へ出て見ると、物をもらいに来た貧しい人だったので、米などいろいろ持っていきながら、私を先に怒ったのです。

「人を侮辱してはいけないのですよ。お前はずうっとそのままでいると思っているのですか？　人をそうやってけなしたら、自分にもそれに応じたことが来るのですからね。覚えておきなさい」

とね。そのときに、私の差別観は潰されました。それっきりどんな障害のある人を見ても、変な人とか気持ち悪いという思いは、なんにも心の中に出てこなくなりました。

話を戻して、ナクラ夫妻のエピソードに関する「死ぬ準備できた？」のニュアンスについて、わかりやすく例を挙げますと、子どもが学校に行こうと家を出るときに、母親が「あんたカバン持った？　宿題持った？　弁当は？」などと聞くでしょう。そのとき、子どもが「バカにするなよ。自分だって堂々とした人間だよ」と思ったら、母親の言葉は侮辱になりますね。しかし、子どもはそう思いません。実際、母親は侮辱しているのではなくて、「どうせまたなにか忘れているでしょう」と知っていて、チェックしてくれているのです。それを子どものほうでもわかっています。

ですから、同じ話でも、親しければ侮辱でなく言えて、親しくなければ言えない場合もあります。同じことを言っても、時と場合でちがいますね。ナクラ夫妻の「死ぬ準備できた？」の場合は、仏教という同じ道を歩んでいる人同士の世界のことで、侮辱ではありません。

私は動物に対しても、自分と同じ「平等」という態度でアプローチします。動物たちに言いたい放題に言います。ですから、かつて私は私の長老に「こいつは頭がおかしい」と何回も言われたものです。でも、私は長老が自分の言うことを「よく理解してくれている」と知っていますから、プライドが傷つくことはありません。どうということはないのです。

私たちは人のことを笑ってもよいのです。しかし、人の尊厳・人格、それだけは傷つけないように気をつけます。そうすれば、けっこう笑って生活できます。

第8章

引き合うこころ

エピソード8－1「神々の王が頼るものは？」

あるとき、帝釈天が、用事があって出かけようとします。乗り物に乗る前に、帝釈天は四方八方に礼をします。それを見た運転手のマータリ神が質問します。

「王たちも、人間も、四天の神々も、あなたを拝みます。そのあなたが拝むとは、いま、どれほどの威力のある神に礼をしているのでしょうか？」

と。帝釈天は答えます。

「在家で、善行為をする、道徳を守る、また、合法に暮らし家族を養う人々、私はその人々に合掌をしているのです［Ye gahaṭṭhā puññakarā sīlavanto upāsakā, Dhammena dāraṃ posenti te namassāmi mātalīti.（イェー　ガハッター　プンニャカラー　スィーラヴァン

トー　ウパーサカー，ダンメーナ　ダーラン　ポーセンティ　テー　ナマッサーミ　マータリーティ)」」*

立派な人になって神を守りましょう

これは神々の王、帝釈天が登場するエピソードです。八百万《やおよろず》の神々のなかに、王様がいるのです。それが帝釈天です。

王様が、用事があって出かける前に、自分の身を守るために礼をしています。あちらに礼をして、こちらに礼をして、それから車に乗り込みます。日本車ではありません。アメリカ製でもありません。天国のどこかの工場で作ったものだと思いましょう。メイド・イン・天国なのでかなり派手な車にちがいありません。うまく説明できませんので、車については割愛します。

＊相応部有偈篇帝釈相応19（Samyutta-nikāya, Sagatha-vagga, Sakka-samyutta 19）

さて、神々の王様、帝釈天はどんな神に礼をするのでしょうか？　疑問に思った運転手の神が質問をします。それに対して帝釈天が答えたのが「在家で、善行為をする、道徳を守る、また、合法に暮らし家族を養う人々」というものです。

意味がわかりますか？　皆さんは、あちこちの神社でお祈りをしたり、あれやこれやと惨めなまでに神様におねだりしていますが、神々のいちばんトップの王様が、在家の合法的で道徳を守っている人に、自分を「守ってほしい」と思っているということです。つまり、仏教は、世間で思われていることと逆のことを言っています。「神様は守ってくれる存在ではなく、守ってほしいと思っている存在だ」ということです。

これは、人間が神様にいろいろお願いをしたり、すがったりすることに対して、お釈迦さまがわかりやすく物語にして解説なさったエピソードです。われわれは立派な人間として生活して生きることによって神々まで守ってあげなくてはいけないのだと、説いています。

私たちは、神社などで手を合わせて、神様に対して「ご利益がありますように」「健康でありますように」「幸福でありますように」「どうか○○になりますように」「どうか○○が得られますように」など、お願いばかりしているでしょう。仏教は、惨めなまでにお願いするのではなく、逆に神様さえも助けてあげます、という姿勢です。それが仏教的なのです。また、事実をみると歴史上、人間が神と神殿を守ってきたのですが、神に守られたデータは一つもありません。

神々を助けるのは、きれいなこころ

仏教は、神に祈るのではなく、神を助けてあげる宗教です。いったいどうやって神様を助けるのか、おわかりですか？　神々の栄養は、きれいなこころです。

我々が道徳を守ると、あるいは善行為をすると、我々のこころからとても清らかな波動が放たれます。神々は、それを栄養とするのです。ですから、怒りや、嫉妬や、憎しみは、汚い波動ですし、隣りの家の子どもよりは自分の子どもが合格してほしいとか、自分の都合ばっかりの祈願やお祈りも、汚い波動でしょう？　そういうこころのもとには、餓鬼はやってくるかもしれませんけど、神は寄ってきません。そのことを次のエピソードで、もう少し掘り下げて解説します。

エピソード8－2「神々と引き合うこころとは？」

あるとき、霊的存在が、なぜか神々の王、帝釈天の玉座に現れました。その霊は天界に現れたにもかかわらず、ものすごく気持ちの悪い容姿でした。微塵も美しくなくて、身体もあちこち捻じ曲がっていて、いわゆる究極的に醜い姿でした。

最初に、帝釈天のまわりにいる神々が見たのですが、気持ちが悪くてとても見ていられません。いきなり現れた醜いものに驚いて、

「なんだ、これは！」

「われわれが触れることすら畏《おそ》れおおいところに、なぜ座っているのだ？」

と、汚い醜い霊に言いたい放題に侮辱・誹謗中傷しました。

すると、神々が侮辱すればするほど、この醜い霊がどんどん成長していきます。成長

して、成長して、どんどん力を発揮します。醜くても、その成長する暗い威力に天の神々の輝きは負けます。神々が追い払おうと思ったのですが、まったくできません。お手上げです。ついに神々は、帝釈天に伝えにいきます。

「たいへんなことになっていますよ、汚い、天国にいてはならない霊が、玉座に座っています。追い出そうとすればするほど、力が強くなっていきます」

と言うと、帝釈天は、

「あぁ、そう。わかりました」

と言って、玉座のところに行って、まず土下座をして礼をします。額をつけて、

「私は、この天国の王である帝釈天でございます。礼をいたします」

と一回礼をすると、不思議なことにその存在がギューと縮みます。もう一回立ち上がって、名前を言って二回目の礼をします。いわゆる、究極的な礼です。ちょっと頭を下げるぐらいではないのです。それで、三回もすると、跡形もなく霊的存在がスッと消えてしまいました。＊

同じレベルの波動同士が引き合う

二つめの帝釈天が登場するエピソードについて解説します。神々の王様である帝釈天の玉座は、それはそれは、尊い場所です。誰も近寄らないし、触ろうともしません。あまりにも威力のある場所なのです。それが、あるときその玉座に、とつぜん霊的な存在が現れました。

仏教には、「マヌッサ［manussa］」と「アマヌッサ［amanussa］」という言葉がありま す。「マヌッサ」は「人間」、「アマヌッサ」は「人間でない存在」という言葉をつかっています。人間でない存在なので、いわば霊的な存在です。本当は「霊」というとおかしいのですけど、まぁそのようなものです。

まわりにいた神々が、その気持ちの悪い霊に文句を言って追い払おうとしますが、消えるどころか、どんどん大きくなります。それを聞いた帝釈天は、まじめな仏教徒ですから、「いくら頑張っても、そんなことでは追い出せません」とわかっていて、逆に礼をしてみたのです。それで、醜い霊は消えてしまいました。

このエピソードはある大事なことを伝えています。それは「レベルに応じたものと引き合う」ということです。帝釈天の玉座に現れた霊は「怒り」を栄養にする化け物でした。怒りの波動が入ると、醜い霊的存在がどんどん成長します。ですから、この場所を選んで現れました。絶対いてはならないところに、なんとかして入ったのでしょう。そこにいたらとうぜん、侮辱・非難されます。それが欲しかったのです。ですから、非難されればされるほど成長しました。

心の波動でいのちをつないでいる、霊的存在の話です。清らかな波動で栄養をとる霊もいれば、汚れた波動で栄養をとる霊もいるのです。仏教用語で〝神〟というのは清らかな波動で、明るく楽しく生きる存在のことです。対して、汚れた波動で生きる存在に〝アマヌッサ〟という単語を使います。エピソードのアマヌッサが、栄養を思う存分

（P．201）＊相応部有偈篇帝釈相応22

とってやるぞと思って、天国の玉座に入り込んだのです。とうぜん、非難・侮辱されます。それは、その生命に願ってもない栄養でした。

神殿、霊地などでの「あれちょうだい」「これちょうだい」などというお願いは、人間の欲望の波動です。満たされていないという気持ちです。そのような暗い波動を放つところに誰が寄ってくるか、想像してみてください。

お願いよりも善行為をしましょう

醜い霊が汚い波動を栄養とするように、レベルの高い品のある神々は、人間の清らかなこころを期待しています。ですから、物乞いで生活したり、違法な行為をしていながら神に守ってもらおうというのは、ちょっと難しい話です。嫉妬・憎しみの気持ちでいろいろ祈願したり、お札を買ったりしておきながら、神様に助けてもらうのはまず無理なのです。

これも、私たちが神々にお願いばかりしている姿勢を、お釈迦さまが指摘し、正しい生き方を教えようとしているエピソードです。最初のエピソードと合わせておっしゃったあとに、お釈迦さまは問いかけます。「では、神よりも威力がある人は誰でしょうか?」と。

人間が毎日神々に礼をしていることに対して、仏教はにこっと笑ってこう言います。「もっと立派なことがあるのではないですか?」と。神様にお礼して、お願いするより、善行為をするなどしたほうがはるかに立派なことです。人間は、神々の王様が頼りにする存在なのですよ、というわけです。

このとき、神がいるのか、いないのかということは、どうでもいい話として持ち出しません。ただ、笑って問題を解決します。

第9章

深刻な悩みの解消法

エピソード9「杖はありがたい」

あるとき、あるバラモンからお釈迦さまが相談を受けました。

「お釈迦さま、どうか聞いてください。私には子どもが四人います。それはそれは大事に育てあげました。子どもたちが大きくなったので、バラモン文化のしきたりどおりに、財産はすべて四人の子どもたちに分配しました。自分は引退です。そこからは、子どもが父親である私の面倒をみる番です。それなのに、あろうことか四人の子は、私を追い出したのです。

私はいまはもうなにも持っていませんから、追い出されたら乞食です。耐え切れずに、長男のところに身を寄せました。すると長男は、『あなたは、なぜ私の家に居座っているのですか？　私に特別になにかくれましたか？』と言って、私を次男のところへ追い出しました。すると次男も同じことを言って、三男のところへ行かせました。三男も同様です。『大切に育てた息子たちから、そんなひどい言葉は聞きたくない』と強く思い、私は乞食になったのです。本当に困っているのです。どうしたらよいでしょう」とバラモンはお釈迦さまに訴えました。

お釈迦さまはその話を聞いて、

「そう。では、詩を作ってあげましょう」

とおっしゃいました。できたのは「杖はありがたい」という詩で、次のような言葉でした。

〝私が愛情を注いで育てた息子たちは、私からものをもらうときは「お父様」「お父様」と言って慕ったものです。しかし、あれは息子ではありませんでした。本当は、人間の姿に変身した鬼でした。いまは、私を野良犬を追い払うように追い払うのです。いま、私のこの杖は、息子より大切なものです。なぜなら、凶暴な犬や牛が来ても追い払うことができるのですから〟

お釈迦さまは

「これを公の場、みんなが集まるところで歌ってみてください」

と、おっしゃいました。父親は言われたとおり、歌いました。すると、息子たちはきちんと父親の面倒をみるようになりました。*

お釈迦さまという武器を持ったので、彼のそれからの人生は安心でした。

人生を末長く支える回答

このエピソードは、いわば人生相談へのお釈迦さまのベスト回答例とでも言えるものです。

バラモンの文化では、子どもが大人になったら、親は財産を子どもたちにきっちり均等に分け、自分はなにもなしで引退する決まりです。バラモンでしたから、財産はけっこうありました。財産を分けられた子どもたちは親の面倒をみるのが義務です。

しかし、この子ども四人は親を追い出しました。追い出された父親は、食べるものがありません。それまではお金持ちでしたが、乞食をする羽目になったのです。耐えられると思いますか？　お金持ちの人が、自分の財産があるにもかかわらず、その財産を与えた息子たちはすごく贅沢をしているのに、自分は乞食をしなくてはいけないのです。そのことを、父親はお釈迦さまに嘆いたわけです。

話を聞いたお釈迦さまが「では、詩を作ってあげましょう」とおっしゃったのは、乞食をする場合はなにか口上を言わなくてはいけないからです。インドは、そういう物乞いの詩とか、いろいろあります。なにか楽器をちょっと弾いたりして、詩を歌ったりして、「お金をちょうだい」と言うのです。ストリート・パフォーマンスというわけでは

＊相応部有偈篇婆羅門相応14

なく、物乞いのやり方です。

お釈迦さまが作った詩は、それは見事なものです。そして、それを皆が集まる場で歌ったら、どうなったでしょう？　とうぜん、息子たちの性格が、みんなにバレました。息子たちは、社会の批判を浴びながら生きてはいけませんから、父親の面倒をみることになりました。自分の父親が乞食をしていて放っておくなんて、社会の一員として堂々と顔向けできません。

ふつうだったら、「まぁ、仕方ない。少しのあいだだけ面倒をみて、ほとぼりが冷めたら追い出そう」などという考えが起こるかも知れません。しかし大丈夫、心配はいりません。追い出されたらまた、あの詩を歌えばよいのです。ですから、お釈迦さまはすごいことをなさるのです。相談をもちかけられたときに、いかに素晴らしいアドバイスをなさるかがうかがえます。

先を見越して、明るいアドバイスを

私は最近、結婚をしたいという女性の相談を受けました。「結婚したい相手がいるのに、親が会ってもくれない」という悩みでした。私は言ったのです。「あなたは、お父さんに『自分にピッタリ合う人を探してください』と頼んでみてください。きっとそれでうまくいきますよ」と。

なぜそう言ったかというと、私はこのように考えたのです。もし、娘さんが選んだ人が本当に合わない人なら、それを確かめるために、父親はその人と会ってみるしかないのです。父親がその人のことをなにも知らないで、自分勝手に男を選んでも娘さんには「自分が選んだ人のほうがよい」と簡単に言えます。父親が単なる感情で、屁理屈で「その男はだめです」と言っても、娘の気に入る男性を探すのはたやすいことではありません。父親が娘を大事に思い、愛していることはもちろんですから、結局は「きみが自分で好きな人を選んでください」と言わざるを得ないのです。父親がどんな態度をとっても、その娘さんは性格の合う人と結婚できることになるだろうと推測しました。私の判断なので、うまくいくという保証はありません。お釈迦さまは、きっとなにかもっと面白いことをアドバイスなさったと思います。

第10章

至福の仏教

エピソード10「苦行は過去生の罰？」

お釈迦さまが王舎城の霊鷲山《りょうじゅせん》に滞在していたときのことです。隣りのイシギリ山のカーラシラー洞窟にジャイナ教の出家者がたくさん滞在していました。彼らは座ることを拒否して二十四時間、何日間も立ち続けているなど、不自然なさまざまな苦行を行って、身体を苦しめていました。

お釈迦さまはある日の午後、その場所へ出向き、彼らにおたずねになりました。

「なぜ、あなた方は、不自然に身体を痛めつけているのですか」と。

彼らはこのように答えました。

「われらの師匠であるニガンタ尊師は一切知者でおられます。起きていても寝ていても、つねに一切を知っています。尊師はこのように語ります。『汝らは過去生で罪を犯したことがある。その過去生の罪を、きびしい苦行で身体を痛めつけることでなくしなさい。また身口意（行動と言葉と気持ち）を制御して新たな罪を犯さないようにしなさい。過去の罪は苦行で消えます。そして新たな罪も犯さない。それで業が尽きるのです。業が消えたら生きる苦しみも消えるのです。それが一切の苦しみを乗り越える方法なのです』と。私たちは尊師の説法に納得しているので、このように苦行を行っているのです」

それを聞いたお釈迦さまは、彼らに質問しました。

「あなた方は『自分には過去生がある』と、はっきりと知っているのですか？」

彼らは「いいえ」と答えました。同様に質問と答えが続きます。

「ではあなた方は、『過去生で悪業を犯したのだ』と、知っているのですか？」

「いいえ。知りません」

「ではあなた方は、『このような罪を犯した、このような罪を犯した』と、犯した罪の一つひとつを知っていますか?」

「いいえ。知りません」

「ではあなた方は、『苦行でこれくらいの罪がなくなり、これくらいの罪がまだ残っている』と、知っているのですか?」

「いいえ。知りません」

「ではあなた方は、いま現在の生き方のなかで罪は消えていき、善が増えていくことをはっきりと自覚して経験していますか?」

「いいえ。よくわかりません」

　それらを聞いてお釈迦さまは、最後にこうおっしゃいました。

「そのようなことをなに一つ知らないまま、不自然な苦行を行っているのであれば、過去生で殺戮《さつりく》と残虐行為を犯した人々は、もし人間界に生まれ変わるとしたら皆、ジャイナ教の出家者になるだろうと思いますよ」

お釈迦さまはからかい上手

このエピソードは、お釈迦さまがご自分の親戚でもあった、マハーナーマに語ったできごとです。

第一部でもお話ししましたが、仏教は苦行には反対です。しかし、この世にあるさまざまな宗教は、とくべつな理由がなくともやみくもに苦行を好みます。

キリスト教の基本的な教えは、人間の罪を代表してイエスが受難したことにあります。それならわれわれは、苦行せずに神を信じることで免罪となるはずです。しかし、キリスト教系の敬虔な聖職者たちの一部は不自然な苦行をしているようです。その理由は誰もわかりません。ほかの宗教も苦行することを推薦しますが、納得のいく理由はありません。論理的に苦行を正当化する努力をしたのは、ジャイナ教だけです。

お釈迦さまは、苦行を論理的に正当化したジャイナ教の教えを、とっても軽々とユーモアで否定しています。ジャイナ教の出家者たちは、その苦行が有効かどうかもわからず、単純に開祖様の自画自賛を盲目的に信仰して苦行していました。ふつうに考えれば、「あなた方ほど完全な愚か者は見たことがありません」と言うべきところです。しかし、お釈迦さまは彼らを侮辱をせず、理性に基づいてユーモアで間違いを示されたのです。

人間に生まれたなら、誰でも楽に生きたいと思うでしょう。できることなら誰でも贅沢したいでしょう。それなのにジャイナ教の修行者たちが不自然に身体を苦しめています。ですから「まさか、あなた方は過去生で殺戮者だったのですか？」とからかっておっしゃっています。

ユーモアで本当の幸福を語る

このエピソードには続きがあります。お釈迦さまにからかわれたジャイナ教の出家者たちは、さすがに反論しました。「お釈迦さま、楽に生きて楽に達するということはあり得ないのではありませんか？　苦労したからこそ、楽に達するのです。もし楽をして楽に達することができるというなら、マガダ国王は釈迦さまよりも遥かに優れた幸福に達していることになります」と、論理的に言い返しました。確かに日本のことわざでも、「苦は楽の種」と言ったりしますね。

しかし、この反論に対してお釈迦さまはこうおっしゃいました。「あなた方はよく知りもしないのに、無責任で大胆なことを言いますね。それはまず私に質問するべきことではないでしょうか？　優れた幸福に達しているのはマガダ国王か釈尊か、どちらでしょうか、と私に問うべきですよ」

ジャイナ教の出家者たちは、失礼なことを言ったことを認め、あらためてお釈迦さまに質問しました。「優れた幸福に達しているのはマガダ国王でしょうか、それともお釈迦さまでしょうか」

お釈迦さまは次のように話しはじめます。

「ではあなた方に聞きます。好きなように答えてください。マガダ国王に身体を完全停止して言葉を完全に止めて七日間、完全たる幸福を感じていることができると思いますか？」

ジャイナ教の出家者たちは、「まったくそうは思いません」と答えました。

「では、六日間、五日間……一日としてそうしていることができるでしょうか？」

「いえ、できないでしょう」

お釈迦さまはおっしゃいます。

「修行者たちよ、私は一日中でも二日間でも……七日間でも身体の動きを完全に止めて、言葉の動きも完全に止めて完全たる幸福を感じていることができます。もしこの世で最高な贅沢を味わって生きる人は誰だと問うならば、それはマガダ国王ではなくて私自身のことになるのではありませんか」

ジャイナ教の修行者たちは、「そうですね。そういうことになりますね」と認めました。*

このように、仏教こそが本物の幸福を語る唯一な教えであることを、お釈迦さまはユーモアたっぷりに説かれたのです。

笑いにあふれた仏教の世界

仏教はけっこう、面白い世界です。この本で、それがおわかりいただけたと思います。ただし仏教の笑いは、品格のある、役に立つ、頭がすごく鋭くはたらく笑いです。そんな笑いにあふれている世界です。

私も、お釈迦さまのユーモアをお手本にしています。私に、個人的な質問をして観察していると、私がこの本でご紹介しているようなお釈迦さまの智慧をカンニングして答えていることが発見できると思います。皆さん、ぜひ、もっともっと、品格ある笑いに満ちたお釈迦さまの世界に親しんでいただけたらと思います。

＊中部14苦蘊小経（Majjhima-nikāya 14. Cūḷadukkhakkhandha-sutta）

アルボムッレ・スマナサーラ Alubomulle Sumanasara
スリランカ上座仏教（テーラワーダ仏教）長老。1945年4月、スリランカ生まれ。スリランカ仏教界長老。13歳で出家得度。国立ケラニヤ大学で仏教哲学の教鞭をとる。1980年に来日。駒澤大学大学院博士課程を経て、現在は（宗）日本テーラワーダ仏教協会で初期仏教の伝道と瞑想指導に従事している。朝日カルチャーセンター（東京）の講師を務めるほか、NHK教育テレビ「こころの時代」などにも出演。著書に『ブッダの実践心理学』、『怒らないこと』（以上サンガ）、『原訳「法句経」一日一悟』（佼成出版社）、『「やさしい」って、どういうこと？』（宝島社）、『ブッダの幸福論』（筑摩書房）などがある。
日本テーラワーダ仏教協会　http://www.j-theravada.net/

サンガ新書026
ブッダのユーモア活性術　**役立つ初期仏教法話8**

2008年7月25日　第1刷発行

著者　アルボムッレ・スマナサーラ
装丁　重原 隆
発行者　島影 透
発行所　株式会社サンガ
〒101-0052
東京都千代田区神田小川町3-28
電話　03-6273-2181
FAX　03-6273-2182
郵便振替　02230-0-49885（株）サンガ
印刷・製本　モリモト印刷株式会社

ISBN978-4-901679-81-7 C0215

サンガ新書
アルボムッレ・スマナサーラ長老の著作　好評発売中

ISBN978-4-901679-20-6

サンガ新書003

怒らないこと

役立つ初期仏教法話1　アルボムッレ・スマナサーラ 著　700円（税別）

怒って当たり前、怒らないと不甲斐ないとでも言わんばかりの昨今ですが、人類史上最も賢明なブッダは、怒りを全面否定しました。怒らない人にこそ知恵がある。怒らない人は幸せを得る。

ISBN978-4-901679-25-1

サンガ新書006

心は病気

役立つ初期仏教法話2　アルボムッレ・スマナサーラ 著　700円（税別）

本来の仏教は、精神的な働きを徹底的に科学する「心の科学」です。教典の95％くらいは心に関する話しです。お釈迦さまの教えは、心を治すノウハウばかりなのです。

ISBN978-4-901679-36-7

サンガ新書010

苦しみをなくすこと

役立つ初期仏教法話3　アルボムッレ・スマナサーラ 著　700円（税別）

ブッダが説いた幸福の境地――真の幸福を経験するために大切なことは、「苦」をありのままに見つめること。そして、「苦」の原因を知り尽くし、正しくなくすことが必要なのです。

（2008.7）